HISTÓRIAS DO TEMPO EM QUE OS ANIMAIS FALAVAM

Da obra de **Silvio Romero**
Seleção e adaptação de **Ana Carolina Carvalho**
Ilustrações de **Andrea Ebert**

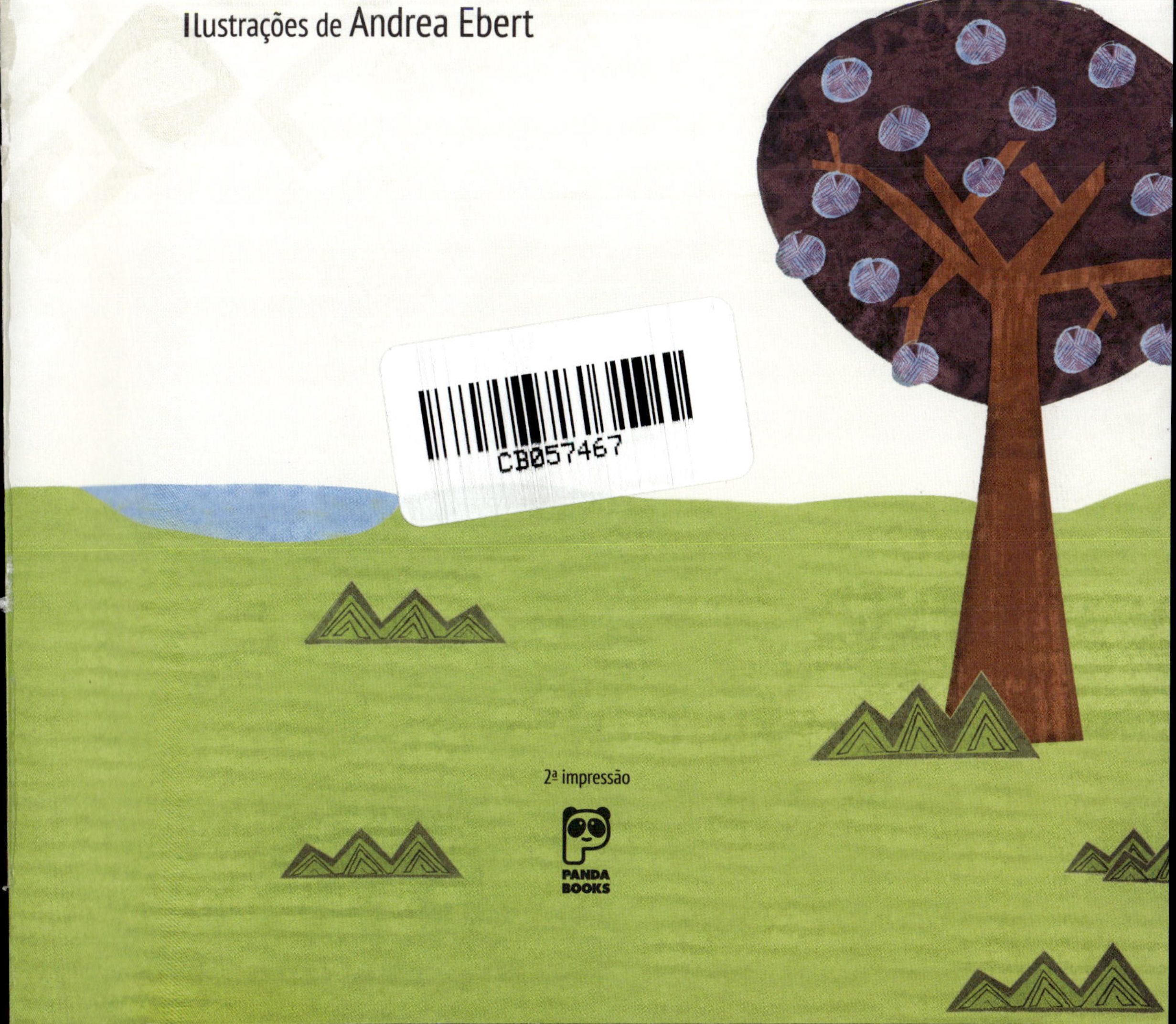

2ª impressão

texto © Ana Carolina Carvalho
ilustração © Andrea Ebert

Diretor editorial
Marcelo Duarte

Projeto gráfico e diagramação
Hellen Cristine Dias

Diretora comercial
Patth Pachas

Revisão
Alessandra Miranda de Sá

Diretora de projetos especiais
Tatiana Fulas

Impressão
Corprint

Coordenadora editorial
Vanessa Sayuri Sawada

Assistentes editoriais
Olívia Tavares
Camila Martins

```
CIP - BRASIL. CATALOGAÇÃO NA FONTE
SINDICATO NACIONAL DOS EDITORES DE LIVROS, RJ

Carvalho, Ana Carolina
  Histórias do tempo em que os animais falavam / Ana Carolina
Carvalho; ilustrações Andrea Ebert. – 1. ed. – São Paulo: Panda
Books, 2019. 56 pp. il.

  ISBN: 978-85-7888-358-4

  1. Conto infantojuvenil brasileiro. I. Ebert, Andrea. II. Título.

14-10780                                    CDD: 028.5
                                            CDU: 087.5
```

2022
Todos os direitos reservados à Panda Books.
Um selo da Editora Original Ltda.
Rua Henrique Schaumann, 286, cj. 41
05413-010 – São Paulo – SP
Tel./Fax: (11) 3088-8444
edoriginal@pandabooks.com.br
www.pandabooks.com.br
Visite nosso Facebook, Instagram e Twitter.

Nenhuma parte desta publicação poderá ser reproduzida por qualquer meio ou forma
sem a prévia autorização da Editora Original Ltda. A violação dos direitos autorais é
crime estabelecido na Lei nº 9.610/98 e punido pelo artigo 184 do Código Penal.

SUMÁRIO

Apresentação 5

Contos do ciclo do jabuti
    O jabuti e a fruta (Sergipe) 9
    O jabuti e a raposa (Sergipe e Pará) 16
    O jabuti e o caipora (Amazonas) 21

Contos do ciclo da onça
    O veado e a onça (Rio de Janeiro) 25
    A onça, o veado e o macaco (Sergipe) 30
    A raposa e a onça (Pará) 38
    O tatu e a onça (Pará) 42
    A onça e o coelho (Sergipe) 46

Silvio Romero e os contos populares do Brasil 53

Referências bibliográficas 54

A autora e a ilustradora... 55

APRESENTAÇÃO

Então, houve um tempo em que os animais falavam? Talvez tenha sido há muito tempo. Quando ainda havia bastante mato e florestas pelo nosso país. No tempo em que havia mais índios. O tempo das histórias contadas perto do fogo, embalando a noite, os sonhos e a vida. Muito antes da invenção da televisão, computador ou celular. Foi há bastante tempo, certamente. Mas sempre podemos voltar a essa época remota quando abrimos um livro de histórias tradicionais e viajamos na imaginação de nossos antepassados.

O que são mesmo as histórias tradicionais? Segundo Luís da Câmara Cascudo (1898-1986), estudioso do folclore do nosso país, uma história pode ser considerada tradicional se ela guarda quatro características: a antiguidade, o anonimato, a divulgação e a persistência. São histórias que, por algum motivo, não foram esquecidas. Não se perderam com o tempo e continuam fazendo sentido para um determinado povo. Estudiosos como Câmara Cascudo e Silvio Romero (1851-1914) foram alguns dos responsáveis por fazerem chegar até nós essas histórias brasileiras. Porém, elas também chegaram até eles porque já eram tradicionais, ou seja, dentre tantas que haviam sido inventadas e contadas através do tempo, as que eles recolheram haviam permanecido vivas entre o nosso povo.

Silvio Romero selecionou histórias que, por volta de 1880, faziam parte do repertório de algumas etnias indígenas. Se elas nasceram entre os índios ou se vieram com os portugueses ou os africanos, sofrendo algumas modificações ao serem assimiladas por povos daqui, não sabemos ao certo afirmar. O que sabemos é que fizeram parte do repertório de algumas etnias indígenas que, no final do século XIX, habitavam boa parte do litoral do nosso país, nos estados de Sergipe, Pará, Pernambuco, Rio de Janeiro e também na região amazônica.

Apresentação

Em comum, todas as histórias possuem animais brasileiros como personagens. Quem será o mais esperto? Ou o mais valente? A onça, o jabuti, a raposa, o veado, o macaco, o tatu? Na pele desses animais, conhecemos um pouco mais sobre aquilo que vivemos: as disputas, a inveja, a solidariedade. Sentimentos humanos tão antigos quanto o tempo. Desde a época mais distante, quando dizem que até os animais falavam.

O JABUTI E A FRUTA
◇ Sergipe ◇

Diz que foi um dia, havia no mato uma fruta que todos os bichos tinham vontade de comer. Acontece que aquela fruta era especial e só poderia comê-la quem soubesse o seu nome. Não havia bicho que soubesse o tal nome, apenas uma mulher conhecia aquele segredo.

Assim, todos os bichos iam à casa da mulher, que morava nas paragens onde estava o pé de fruta, perguntavam a ela o nome e voltavam para comer. E em todas as vezes acontecia a mesma coisa: a mulher dizia o nome, que, de tão complicado, acabava sendo esquecido enquanto a bicharada fazia o caminho de volta para a árvore.

Os bichos já estavam cansados de tanto desejar e não poder comer a fruta, quando o jabuti foi escalado para ir à casa da mulher perguntar sobre o nome da fruta misteriosa. Os macacos caçoaram:

— Imagina só! Se nós, os animais mais espertos da floresta, não conseguimos acertar o nome, não será o boboca do jabuti a conseguir!

A raposa discordou:

— Vocês, macacos, os mais espertos? Pois sim! Mas numa coisa eu concordo: o jabuti, coitadinho, tão lerdinho, é que não se lembrará!

Mas o amigo jabuti não se intimidou. Partiu munido de sua violinha, calmo e confiante, acreditando que quem espera sempre alcança. Anda que anda, até chegar à casa da tal mulher. Bateu na porta, pediu licença ao entrar e perguntou o nome da fruta. Ela disse:

— Boyô yô boyôyô quizama quizú; boyô boyôyô quizama quizú.

Acontece que a mulher, danada que só ela, depois que cada bicho partia, gritava lá de sua casa:

— Ó amigo! Preste atenção que o nome não é esse não! Eu me confundi!

E dizia uma porção de outros nomes complicados. Os bichos se atrapalhavam e quando chegavam ao pé da fruta já haviam se esquecido completamente daquele primeiro nome.

Com o jabuti não foi assim, porque ele pegou sua violinha e pôs-se a cantar o nome da fruta até chegar à árvore.

— Boyô yô boyôyô quizama quizú; boyô boyôyô quizama quizú.

A bicharada não queria acreditar. Finalmente todos iam poder provar a tal fruta. Você pode imaginar a felicidade de todos. Quer dizer, todos, não. Os macacos e a raposa nem quiseram cumprimentar o jabuti, que, afinal, havia vencido todos os animais. Mas o pior quem fez foi a onça. Muito despeitada da vitória do jabuti, quis vencê-lo de outro jeito e propôs:

— Amigo jabuti, como você não consegue subir na árvore, deixe que eu suba para tirar as frutas e, em paga, você me dá algumas.

O jabuti concordou. A onça subiu, encheu uma sacola com as frutas e deu no pé. O jabuti, furioso, foi atrás da onça e esperou pela bandida na beira do rio. Quando ela chegou, ele disse:

— Amiga onça, me dê aqui o saco, que eu sou melhor nadador. Eu atravesso com as frutas e lhe dou do outro lado.

A onça não via outra solução, pois, além de não ser boa nadadora, morria de medo da água. Mas o sabido, quando se viu do outro lado, fugiu com a sacola de frutas, deixando a onça a ver navios.

Furiosa da vida, ela armou um plano para pegá-lo. Ele soube e meteu-se debaixo da raiz de uma grande árvore onde ela costumava descansar. Não demorou muito, a onça chegou na tal árvore e se pôs a gritar:

— Amigo jabuti! Amigo jabuti!

E ele, ali pertinho:

— Oi!

A onça olhava de um lado e de outro, e nada de ver o jabuti. Chamou outra vez:

— Amigo jabuti!

E de novo, muito pertinho:

— Oi!

E a onça encafifada:

— Uai! De onde vem essa voz?

Mais uma vez:

— Amigo jabuti!

— Oi!

A voz estava tão perto, mas tão perto, que a onça achou que quem falava era o seu traseiro:

— Fique quieto, meu traseiro!

Mas o jabuti continuava:

— Oi! Estou aqui!

E a onça cada vez mais certa de que era o seu traseiro quem a importunava. Passando por ali o amigo macaco, a onça contou-lhe toda a história. O macaco achou que o traseiro merecia uma bela lição e bateu-lhe muito com um cipó. Acontece que, quanto mais batia, mais o jabuti falava. No final das contas, o macaco deu-lhe tanto, que a onça morreu.

E o jabuti pôde cair de seu esconderijo, seguro e satisfeito.

Pelo que me falaram, naquela floresta, os outros bichos finalmente aprenderam o nome da tal fruta e todo mundo pôde comer dela na hora que bem quisesse.

Boyô yô boyôyô.
Essa história acabou.

O JABUTI E A RAPOSA
◈ Sergipe e Pará ◈

Conta-se que o jabuti tinha uma flauta feita com o osso da canela de uma onça. Um dia, quando ele estava tocando, a raposa foi escutar e pediu:

— Ô amigo jabuti, me empresta essa flauta?

— Eu, hein? Pra depois você fugir com ela? — respondeu o jabuti.

— Não vou fugir, não. Só queria tocar, mesmo. Empresta, vai.

— N, A, O, til — disse o jabuti.

— Então, toca mais um pouquinho pra eu ouvir melhor a sua flauta.

E o jabuti tocou assim:

Fin, fin, fin!

Culo, fon, fin!

— Que coisa mais linda, jabuti! Empresta um bocadinho, vai.

E o jabuti, convencido da vida com o elogio da raposa, aceitou:

— Tá bom! Mas só um pouco.

A raposa tomou a flauta do jabuti, tocou e dançou. Ficou tão encantada que quis aquela flauta, de qualquer forma. O jeito era fugir com ela. E foi isso mesmo o que a raposa fez. Num piscar de olhos, já estava longe tocando a flauta.

O jabuti bem que tentou alcançá-la, mas o passo dele não dava nem para o começo. Contrariado, disse consigo mesmo:

— Deixa estar, raposa, que eu ainda te pego!

O jabuti foi pelo mato afora e chegou perto do rio. Cortou madeira, fez uma ponte e atravessou para a outra margem, onde havia uma árvore cheia de resina. Subiu na árvore, tirou um pedaço de pau com bastante resina e passou em seu casco.

Daí a pouco, a raposa chegou com a prima para beber água do rio. O jabuti já estava esperando pela raposa, a cabeça dentro do casco, as suas patinhas encolhidas. Do jeito que estava, parecia mais uma pedra do que um bicho.

Quando a raposa bateu o olho no brilho da resina, achou que o casco era uma pedra cheia de mel e, satisfeita da vida, falou para sua prima:

— Olha, prima, que sorte a nossa! É hoje que eu me acabo de comer tanto mel!

A prima, pelo visto, era mais esperta:

— Cuidado para não levar gato por lebre! Ou então resina por mel, que isso aí está me parecendo o casco do jabuti.

— Que nada! Eu já estou sentindo o gostinho do mel na minha boca.

E dizendo isso, deu com a língua colada no casco. O jabuti não esperou nem mais um minuto e prendeu ainda mais a língua da raposa com a pata:

— Só te solto se me devolver a flauta!

A raposa ainda quis enganar o jabuti.

— A sua flauta, jabuti? Não está comigo, não! — falou com a língua meio enrolada.

— Como não, se eu te ouvi tocar bem aqui perto? — perguntou o jabuti.

Não teve jeito. A raposa devolveu a flauta e correu para lavar sua língua no rio e tirar o resto da resina, que havia grudado que nem cola em sua boca.

E o jabuti saiu feliz da vida, tocando a sua flauta feita com o osso da canela da onça.

Culo, fon, fin!
Essa história chegou ao fim.

O JABUTI E O CAIPORA
◈ Amazonas ◈

Conta-se que um dia o jabuti chegou ao oco de uma árvore e começou a tocar sua gaita. Como tocava bem aquele danado! Que música, que harmonia! Era de causar inveja aos outros animais. Porém, naquele dia quem passava por ali era o caipora. Nem precisou ver quem estava tocando aquela música maravilhosa. Estava na cara que era o jabuti. O caipora falou consigo mesmo:

— Ora se não é o jabuti! É hoje que eu o agarro.

Ele chegou à boca do oco da árvore, enquanto o jabuti tocava a gaita:

Li, ri, li, ri...

Lé, rê, lé, rê...

— Ô jabuti! — o caipora chamou.

— Oi — o jabuti respondeu.

— Vem cá, jabuti. Vamos ver quem é mais forte?

— Vamos! — concordou o jabuti.

O caipora foi pro mato, cortou um cipó, trouxe o cipó para a beira do rio e disse ao jabuti:

— Vamos fazer um cabo de guerra, jabuti. Você na água e eu na terra.

— Pois bem, caipora.

O jabuti, muito esperto, saltou na água e foi amarrar a corda na cauda da cobra-grande.

Voltou pra terra e disse, como se estivesse na água:

— Podemos começar, caipora. Já estou pronto.

O caipora puxou a corda com toda a força que tinha. A cobra-grande, sentindo ser puxada para fora, fez força e arrastou o caipora pelo pescoço até a água. O caipora ainda tentou fazer mais força para puxar o rabo da cobra-grande para a terra. Mas ninguém podia com a cobra-grande! Ela fez mais força e puxou ainda mais um pouco o caipora.

Enquanto o caipora suava, o jabuti estava tranquilo, escondido atrás de um arbusto, só rindo do esforço do outro.

Quando o caipora já estava bem cansado, disse:

— Chega, jabuti. Eu me rendo!

O jabuti saltou na água, foi desatar o cipó do rabo da cobra-grande e se amarrou na corda. O caipora puxou a corda e o jabuti voltou para a terra, como se estivesse na água o tempo todo.

O caipora perguntou:

— E então, amigo jabuti, está muito cansado?

— Imagine, caipora! Nem um pouquinho! Não suei uma gotinha sequer.

— É, jabuti, você venceu. É bom músico e forte como poucos. Não mexo mais com você, pode ficar tocando a sua gaita sossegado.

Dizendo isso, o caipora partiu. O jabuti nunca mais foi importunado e pôde tocar a sua gaita tranquilamente até o fim de sua vida.

Li, ri, li, ri...
Lé, rê, lé, rê...

O VEADO E A ONÇA
◈ Rio de Janeiro ◈

Um belo dia, cansado de andar por aí, o veado disse consigo mesmo:

— Já está na hora de eu ter minha casa! Vou procurar um lugar para construir meu cantinho.

Foi pela banda do rio, achou um lugar bom:

— Resolvido! Minha casa há de ser bem aqui.

Não longe dali, a onça também estava passando por dificuldades:

— Está na hora de ter um teto só meu.

Dizendo isso, saiu em busca de um terreno lá pelas bandas do rio. Anda que anda, foi dar no mesmo lugar que o veado tinha escolhido.

— Que lugar bom! Vou fazer aqui a minha casa! — concluiu a onça.

E partiu.

No dia seguinte veio o veado, capinou e roçou o lugar. No outro dia, veio a onça e disse:

— Que maravilha! Só pode ser Tupã que está me ajudando! Enquanto eu dormia, ele capinou e roçou o meu terreninho!

Então ela fincou no chão as forquilhas e armou a casa. No fim do dia, cansada de tanto trabalhar, foi embora.

No dia seguinte, veio o veado. Assim que viu a casa toda armada, disse:

— Meu bom Tupã! Que sorte a minha contar com a sua ajuda!

Cobriu a casa e fez dois quartos, um para si, outro para Tupã.

No outro dia, achando a casa pronta, a onça agradeceu mais uma vez a Tupã. Mudou-se para ali, ocupando um quarto e deixando o outro para Tupã.

Veio o veado e ocupou o outro quarto. E assim passaram a primeira noite. A onça num quarto, sem ter ideia do veado. E este no quarto ao lado, sem atinar com a presença da onça.

No dia seguinte, acordaram cedo e deram um com a cara do outro.

— Então era você, onça, quem estava me ajudando a construir minha casa?

— A minha casa, você quer dizer, veado? Então, era você quem me ajudava!

— Eu mesmo! — disse o veado.

— Pois bem, nós dois trabalhamos, nós dois vamos morar juntos — sugeriu a onça.

— Combinado — concordou o veado.

No outro dia, a onça veio com esta:

— Eu vou caçar. Você esquente a água, pegue lenha para o fogo, deixe tudo pronto, que eu chegarei com fome!

Foi caçar e matou um veado muito grande, trouxe para casa e disse ao seu companheiro:

— Agora, apronte nossa refeição.

O veado cozinhou, mas não quis comer. De noite não dormiu, com medo de que a onça o estrangulasse.

No dia seguinte, quem foi caçar foi o veado. Encontrou-se com uma onça grande e estava pensando num modo de caçá-la quando deu com um tamanduá:

— Olha, amigo tamanduá, aquela onça andava falando mal de você.

O tamanduá ficou furioso com a fofoca e resolveu vingar-se da onça. Enquanto ela estava distraída arranhando um pau, ele foi chegando muito devagar e silenciosamente, abraçou-a e enfiou as garras em seu pescoço, matando-a.

O veado a levou para casa e disse à sua companheira:

— Aqui está nossa refeição! Pode aprontá-la.

A onça aprontou, mas não jantou.

Quando chegou a noite, os dois não dormiram. A onça espiando o veado, o veado espiando a onça.

À meia-noite, caindo de sono, a cabeça do veado esbarrou no jirau e fez tá! A onça, pensando que era o veado que já ia matá-la, deu um pulo. O veado, achando que era a onça que o atacava, também se assustou. E os dois saíram correndo, cada qual fugindo para um lado. E, se nada mudou, dizem que continuam correndo até hoje.

A ONÇA, O VEADO E O MACACO
◈ Sergipe ◈

Uma vez, a amiga onça convidou o amigo veado para tomar leite e passar a noite na casa de um compadre, e o veado aceitou. No caminho, ao passarem por um riacho, a onça quis enganar o veado, dizendo:

— Ô amigo veado, não tenha medo que o riacho é bem rasinho.

O veado pulou no rio sem nenhum cuidado e quase morreu afogado. A onça, que não era boa nadadora, atravessou por uma parte mais rasa e não teve problema nenhum.

Mais adiante, encontraram umas bananeiras e a onça disse ao veado:

— Amigo veado, suba naquela bananeira, pegue as bananas verdes, que são as melhores, e jogue as maduras para mim.

O veado obedeceu e não conseguiu comer nenhuma. Seguiu faminto, enquanto a onça caminhava satisfeita. Continuaram e, logo à frente, encontraram trabalhadores que carpiam um terreno. A onça disse ao veado:

— Amigo veado, quem passa por aqueles trabalhadores deve sempre dizer: "O diabo leve a quem trabalha!".

O veado falou e os trabalhadores largaram os cachorros em cima dele e quase o pegaram. A onça quando passou disse:

— Deus ajude a quem trabalha!

Os trabalhadores gostaram muito do que ouviram e deixaram-na passar.

Adiante encontraram uma cobrinha-coral e a onça deu uma ideia ao veado:

— Olhe, amigo veado, que linda pulseira! Por que não leva à sua filha?

O veado foi pegar a pulseira e acabou levando uma mordida da cobra-coral.

— Quem manda ser tolo? — a onça falou.

Finalmente, chegaram à casa do compadre da onça. Já era tarde e foram dormir. O veado armou a sua rede num canto da casa e logo adormeceu profundamente. De madrugada, a onça levantou pé ante pé, foi ao curral das ovelhas e pegou a mais gorda de todas. Sangrou e comeu toda a carne. Guardou o sangue numa cuia e, chegando de volta à casa, derramou todo o sangue no veado.

De manhã cedo, o dono da casa sentiu falta de uma ovelha e foi reclamar com a onça, que se fez de desentendida.

— Como assim, meu compadre? Eu não peguei ovelha nenhuma. Só se foi meu amigo veado, que está todo cheio de sangue.

O homem foi à rede do veado e viu que ele estava todo sujo de sangue.

— Ah, foi você, seu ladrão!

Nem adiantou o veado negar. O dono da casa ficou tão furioso que acabou matando o bicho. A onça bebeu o leite, despediu-se do compadre e partiu.

Passado um tempo, a onça resolveu convidar o macaco para o mesmo passeio. O macaco aceitou e eles partiram. Chegando adiante, encontraram o riacho. E a onça veio com a mesma história de antes:

— Ô amigo macaco, o riacho é rasinho. Passe por ali adiante que dá pé para você.

O macaco respondeu:

— Está pensando que eu sou bobo que nem o amigo veado que você enganou? Passe você primeiro, que eu sigo o mesmo caminho que fizer. Se não for assim, eu volto.

E a onça não teve outra saída senão passar na frente. O macaco aprendeu o caminho mais raso e não teve problema nenhum ao atravessar o rio. Adiante, chegaram nas bananeiras e a onça disse:

— Amigo macaco, vamos parar um pouquinho para comer umas bananas. Suba naquela bananeira. Fique com as bananas verdes, que são as melhores, e jogue as maduras para mim.

O macaco foi logo subindo e, como era muito entendido de bananas, sabia que as melhores eram as maduras. Jogou as verdes para a onça e comeu as outras. A onça ficou furiosa:

— Amigo macaco... Amigo macaco... Olha que eu te boto a unha, hein?

— Ah, é? E olhe que, se você me pega com suas histórias, eu vou embora e te deixo sozinha! — disse o macaco.

Foram seguindo e passaram por aqueles trabalhadores que carpiam o terreno. A onça instruiu o macaco, como fez com o veado:

— Ao passar por eles, diga: "O diabo carregue a quem trabalha!".

Mas o macaco não obedeceu e falou:

— Deus ajude a quem trabalha!

E os homens deixaram o macaco passar. A onça também passou. Adiante, cruzaram com uma cobra-coral. E a onça:

— Olhe só, amigo macaco! Que linda pulseira para presentear a sua filha.

— Ora, amiga onça, pegue você!

Seguiram e afinal chegaram à casa do compadre da onça. Já era tarde e logo foram se deitar.

O macaco armou sua rede bem alto, deitou-se e fingiu que dormia. De madrugada, a onça fez como da outra vez. Saiu pé ante pé para pegar a ovelha mais bonita do curral. Sangrou a bichinha, comeu a carne e foi com a cuia para cima do macaco. Mas ele estava vendo tudo e, quando a onça veio com a cuia, deu-lhe um pontapé e o sangue caiu todo em cima dela.

De manhã, o dono da casa foi ao curral e viu que estava faltando uma ovelha, justo a mais bonita.

— Sempre que minha comadre dorme aqui, me falta uma ovelha! — disse ele.

Voltou danado da vida para casa e encontrou o macaco de pé, bem acordado. O compadre nem precisou falar nada; o macaco apontou para a onça toda suja de sangue, que fingia estar dormindo em sua rede.

— Ah, então foi você, sua diaba!

Deu-lhe um tiro e a matou.

O macaco tomou o leite e partiu. E voltou ainda muitas vezes para tomar leite e dormir na casa do compadre da onça, que acabou virando seu amigo.

A RAPOSA E A ONÇA
◆ Pará ◆

Dizem que em certa época demorou muito a chover, o sol secou todos os rios e restou apenas um poço de água na floresta. Era ali que todos os animais iam beber água. A onça, que já estava querendo pegar a raposa, falou consigo mesma:

— É agora que aquela raposa não me escapa, porque vou fazer espera no poço de água.

A raposa, quando veio, olhou a onça, não pôde beber água e foi embora, engolindo em seco e imaginando um plano para poder beber.

Enquanto caminhava, viu uma mulher passando com um pote de mel na cabeça.

A raposa deitou e fingiu-se de morta. A mulher olhou a raposa e não parou.

Mas a raposa não desistiu. Correu pelo cerrado, deitou-se adiante e fingiu-se de morta de novo. A mulher olhou e não parou.

Mas a raposa não desistiu. Correu ainda mais e adiante deitou-se, fingindo-se de morta. Desta vez, a mulher parou:

— Mas o que é isso? Que tanta raposa morta há por aí? Se eu tivesse apanhado as outras duas já seriam três.

Deixou o pote de mel no chão, colocou a raposa no cesto e resolveu voltar para buscar as outras duas.

Então a raposa lambuzou-se toda de mel, deitou em cima de folhas verdes e falou:

— Não sou mais a raposa! Sou o bicho-folha-verde!

Chegou ao poço e bebeu água, tranquila, bem na frente da onça.

Só que a raposa se empolgou. E não ficou só bebendo água. Quis logo refrescar o corpo todo. Foi só mergulhar na água que as folhas verdes se soltaram. Quando a onça percebeu que estava sendo enganada, saltou por cima da raposa e quase a pegou. Foi por um triz, mesmo, que a bichinha escapou ilesa.

Dali a um tempo, a sede voltou a atormentar a raposa. Com a língua seca, precisava pensar num outro plano para chegar ao poço. Bateu num pé de aroeira, lambuzou-se bastante com sua resina, rolou entre as folhas secas e foi para o poço.

Chegando lá, a onça perguntou:

— Quem é você?

— Sou o bicho-folha-seca.

— Então entre na água, saia e depois beba — disse a onça.

A raposa entrou. A resina era tão grudenta, mas tão grudenta, que nem sequer uma folhinha seca se soltou. E foi assim que a raposa pôde voltar a beber da água do poço muitas e muitas vezes. Até que a seca terminasse e a água da chuva enchesse novamente todos os rios da floresta. A onça nem desconfiou e até hoje procura pela raposa.

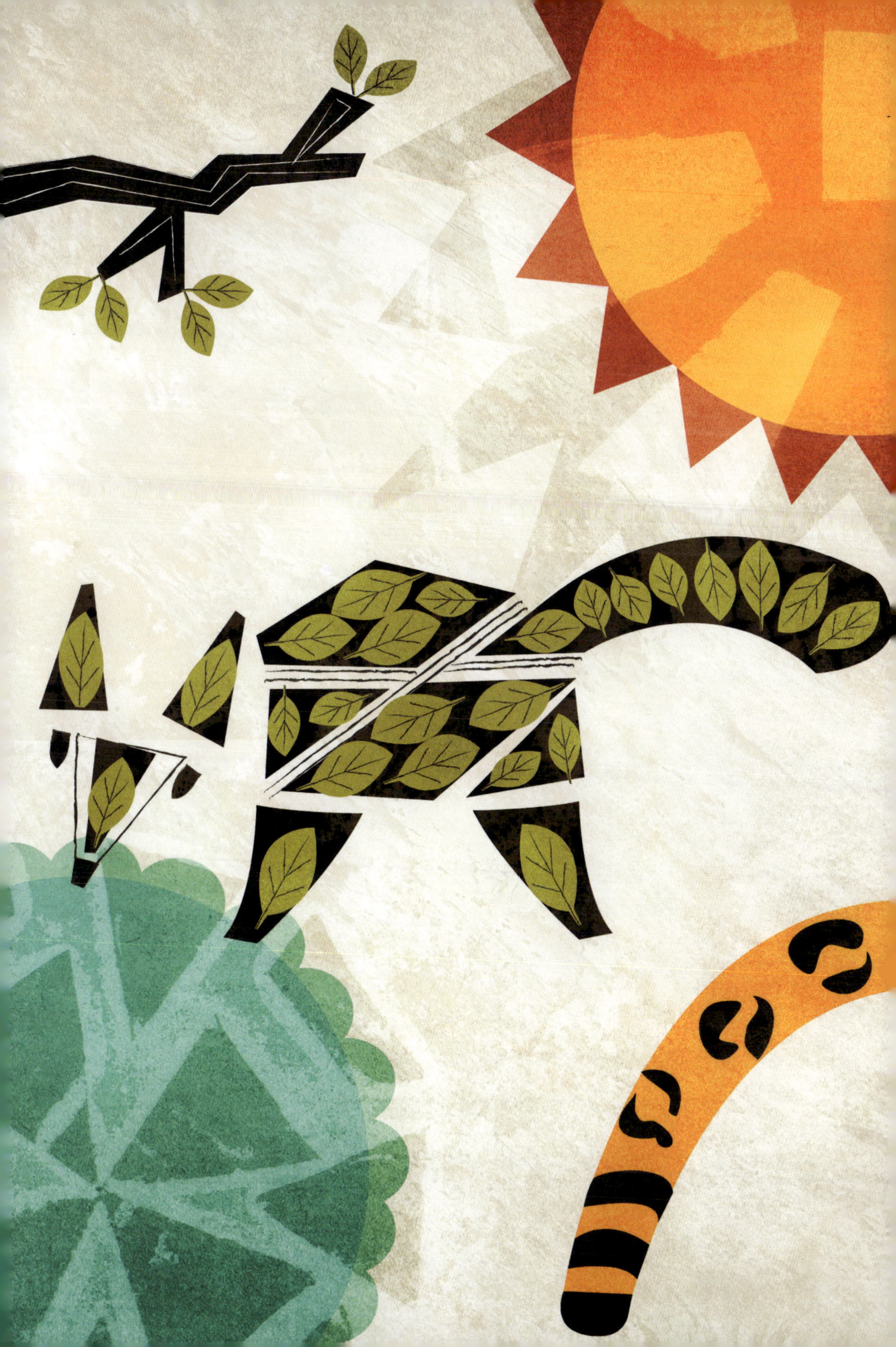

O TATU E A ONÇA
◈ Pará ◈

Certa vez a onça ouviu o tatu tocar uma gaita tão lindamente que foi falar com ele:

— Ó, amigo tatu, como você consegue tocar tão bem sua gaita?

E o tatu respondeu, tocando de outro jeito:

— Eu toco assim na minha gaita! O osso do veado é a minha gaita. Ih! Ih! Ih!

— Ah, pois não foi assim que eu ouvi você tocar!

— Então se afaste mais, onça, que de longe você estava escutando melhor.

A onça se afastou.

— Quer saber o segredo da minha gaita?

E tocou do mesmo jeito de antes, tão lindamente, que a onça respondeu toda animada, lá de longe:

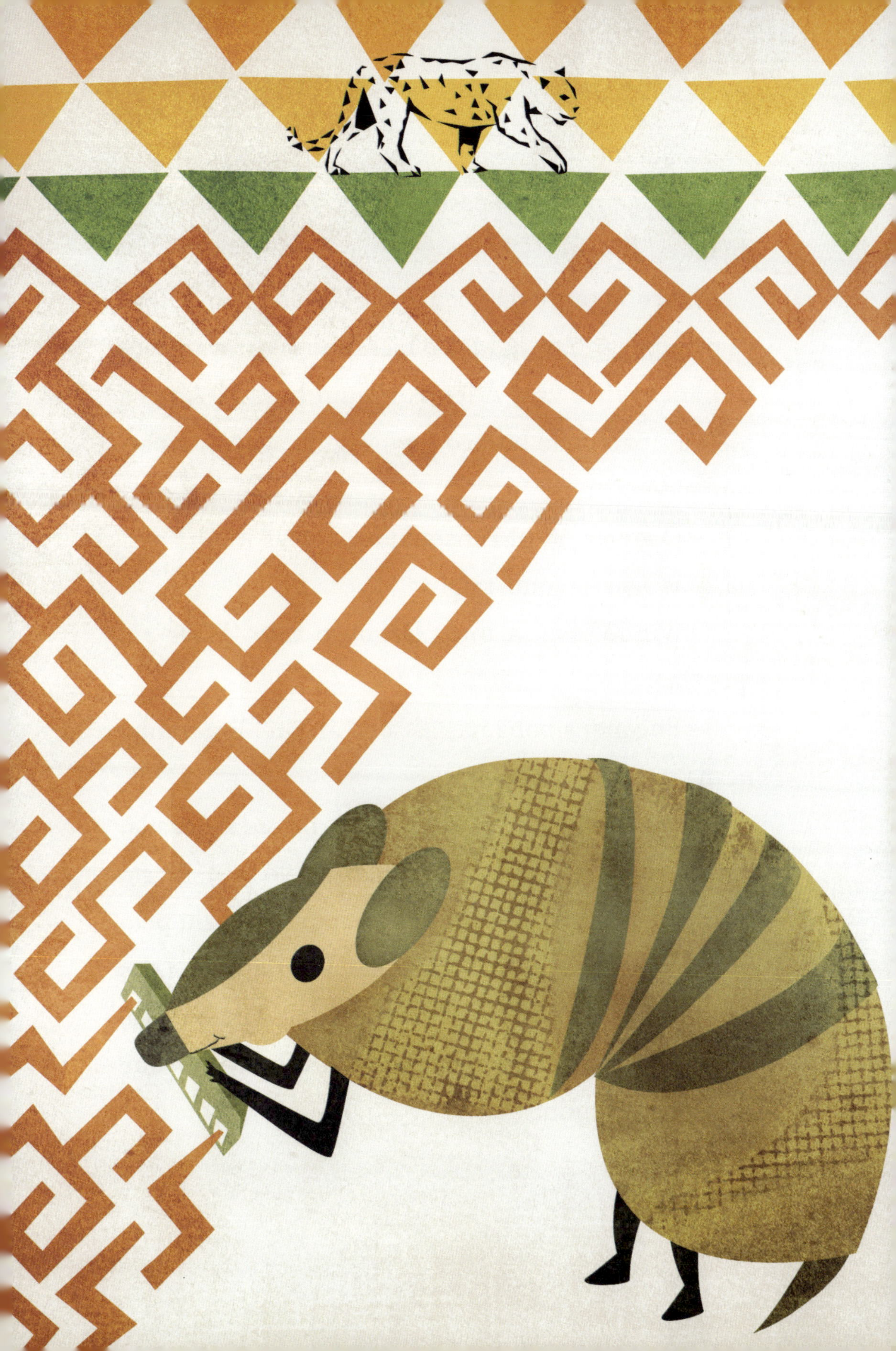

— Quero!

— Pois eu conto: o osso da onça é minha gaita! Ih, ih, ih!

E caçoou tanto da onça, que ela veio furiosa, louca para pegar o tatu. Mas o bichinho já estava pronto para fugir e zás! Adentrou num buraco. A onça meteu a pata pelo buraco e conseguiu agarrar a perninha do tatu.

— Ô amiga onça! Pensou que pegou a minha perna, mas agarrou uma raiz!

Ouvindo isso, a onça largou o tatu. E ele ria que ria.

— Enganei a boba na casca da árvore! Era minha perna mesmo!

A onça, cada vez mais brava por ter sido tão tola, não arredou dali. Esperou e esperou pelo tatu. Mas o bicho era esperto. Entrou por um buraco e saiu pelo outro. E a onça, ali. Dias. Semanas. Um mês. Dois meses. Veio a sede. Veio a fome. E ela ali. Finalmente, por teimosia e um tanto de tolice, tanto esperou, que acabou morrendo.

Dizem até que de seus ossos foram feitas outras tantas gaitas. E até hoje a família daquele tatu sai por aí tocando.

A ONÇA E O COELHO
◈ Sergipe ◈

Uma onça tinha uma roça que estava toda coberta de cansanção. Como não podia roçar tudo sozinha, chamou vários bichos para ajudar com o trabalho.

— Quem conseguir limpar essa roça sem se coçar, ganha um boi inteirinho como prêmio — ofereceu.

O macaco foi o primeiro a se candidatar. Mas foi só encostar na cansanção, que ele começou a se coçar todinho. E foi dispensado. Então foi a vez do bode. Mais um que se coçou e foi demitido. Afinal apareceu um coelhinho querendo fazer o trabalho. A onça olhou desconfiada:

— Se os outros não conseguiram, não há de ser este coelhinho que vai conseguir.

Mas aceitou o pedido mesmo assim. O coelho começou o trabalho e já tinha limpado um bom pedaço da roça, quando a onça se cansou de ficar ali parada, vigiando, e mandou um filho seu ficar no lugar. O coelho se aproveitou da ingenuidade do filho da onça e disse para poder se coçar:

— O boi que a sua mãe vai me dar é pintado assim, assim, assim e assim, ou é assim, assim e assim? — e, para cada assim, ele se coçava numa parte diferente do corpo.

O filhote, muito tolo, respondia:

— É assim, assim e assim.

E o coelho seguia roçando. Dali a pouco, quando o cansanção queimava em suas pernas ou suas orelhas, ele aproveitava e perguntava se o boi não tinha uma manchinha a mais. Bem ali, na perna direita. Ou seria na esquerda? Ou, então, na orelha? Direita? Esquerda? E se coçava em cada parte do corpo que falava.

Desse jeito, de pergunta em pergunta, o coelho conseguiu roçar o terreno todinho. A onça não queria acreditar. E também não estava com nem um pouco de vontade de dar o tal boi de presente. E armou uma para o coelho:

— Olhe, coelho, eu lhe dou o boi, viu? Só que tem um probleminha: este boi não pode ser morto em lugar que tenha mosca ou mosquito. Muito menos em lugar em que se escute o canto de um galo.

O coelho ouviu a recomendação da onça e partiu, levando o boi. Chegou a um lugar em que não havia mosca. Mas foi só parar e pousou no lombo do boi um mosquito. Seguiram caminhando. Pararam mais adiante onde não havia mosquito nem mosca. Mas um galo cantava. Seguiram. Finalmente, chegaram a um terreno em que não havia mosca, mosquito, nem galo. Matou o boi e, quando estava começando a cortá-lo, a onça chegou.

— Amigo coelho, eu estou grávida e não posso passar desejo. Me vê aí um pedacinho desse boi.

O coelho lhe deu um pedaço.

E, a cada parte que era cortada pelo coelho, a onça pedia mais um pedaço. O coelho, que tinha muito medo dela, foi dando tudo o que ela pedia. Por fim, a onça tinha devorado o boi inteirinho. O coelho foi embora somente com o facão nas costas, muito triste, mas prometendo vingança.

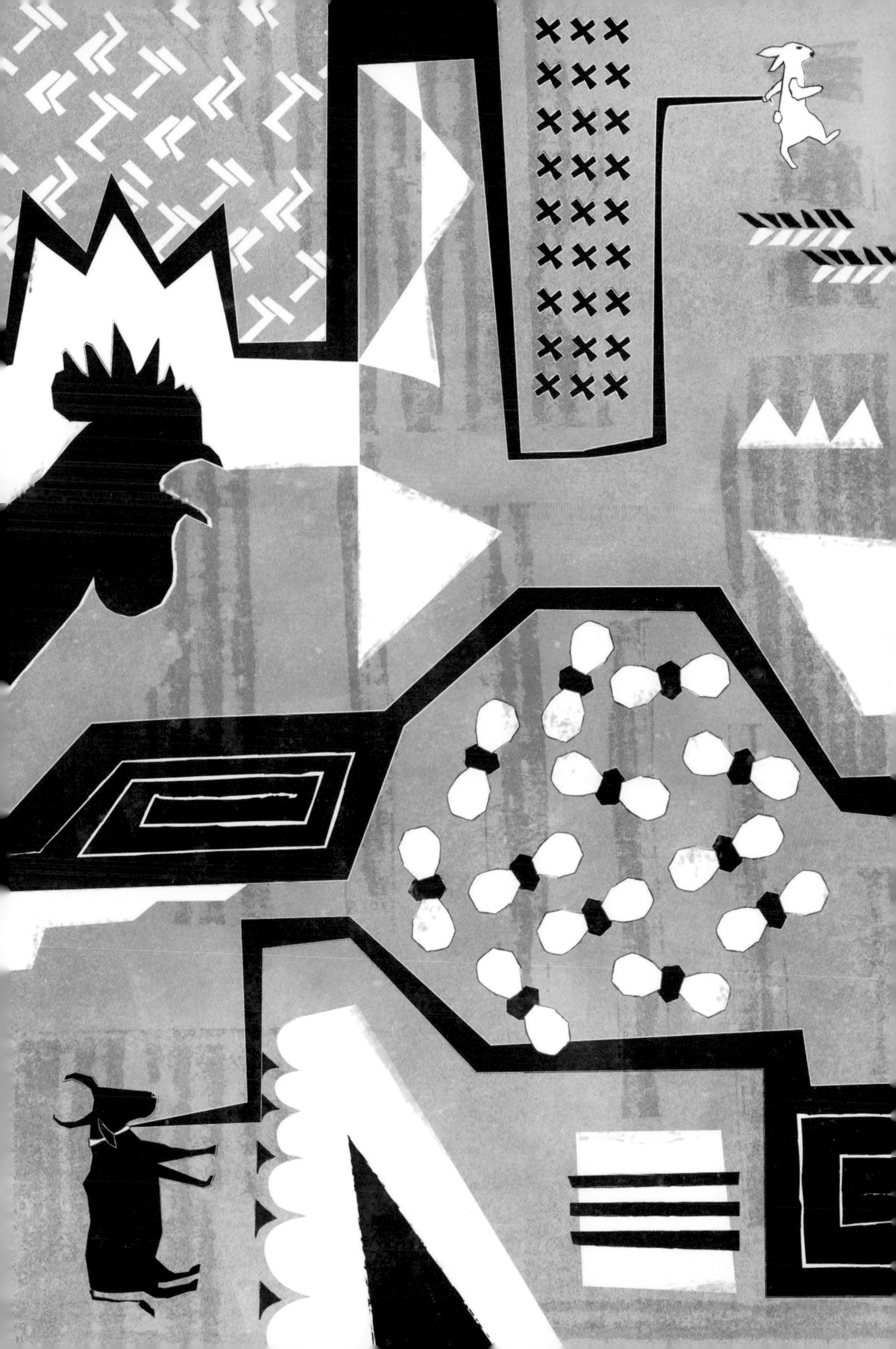

Pensou num plano. Foi para o lugar em que a onça mais passava e ficou ali um bom tempo cortando cipós. Dali a pouco, veio a onça:

— Amigo coelho, quanto tempo! Por que você está cortando cipó?

— Então não sabe, onça? Vai haver uma ventania dos diabos por aqui. E quem não estiver muito amarrado vai acabar sendo levado pelo vento.

— Então me amarre, coelho, que eu não quero sair voando por aí.

O coelho disse que não podia, já tinha combinado de amarrar a sua família inteirinha. A onça insistiu e o coelho disse que então faria, pois ela era a sua comadre. Dizendo isso, começou a amarrá-la bem forte. A onça mal conseguia respirar e pediu para o coelho afrouxar um pouco, mas ele disse que, se não fosse daquele jeito, ela seria levada pelo vento. E foi embora.

Dali a pouco, passou por ali o macaco. E a onça pediu para ele afrouxar um pouco a corda.

O macaco nem quis saber. Veio o veado. A onça fez o mesmo pedido. O veado nem quis saber.

Finalmente, voltou o coelho. A onça, desesperada, pediu para ele desamarrá-la. E o coelho:

— Eu não! Depois você me come.

— Prometo que não como, coelho.

O coelho desamarrou a bichinha e ela zás!, pra cima do coelho. E o teria comido se não fosse rápido e tivesse fugido para dentro de um buraco. A onça ainda enfiou sua pata e conseguiu agarrar a perna do coelho, que falou:

— Pensou que fosse minha perna, onça? Mas o que você agarrou foi a raiz de uma planta!

A onça soltou a perna do coelho. E ele ficou caçoando dela. A onça estava cada vez mais furiosa e resolveu fazer sentinela na porta do buraco. Ficou ali uma hora. Duas horas. Três horas. Para variar um pouco, ela se cansou e resolveu colocar a garça em seu lugar, dando a seguinte recomendação:

— Garça, fique de olho nesse buraco. Se o coelho sair, segure-o de qualquer jeito. Daqui a pouco eu volto com uma enxada para cavar esse buraco.

O coelho, ouvindo tudo, resolveu aprontar uma com a garça. Dali a alguns minutos, a chamou:

— Quem está aí de guarda nesse buraco? Se aproxime, por favor.

A garça chegou bem perto da entrada do buraco e o coelho jogou areia nos seus olhos. Completamente cega, ela não viu a hora em que o bichinho escapuliu. Quando a onça voltou, a garça lhe contou tudo o que tinha acontecido, deixando-a furiosa.

Daquela vez, a onça desistiu. Mas dizem que até hoje tenta pegar o coelho, que sempre arranja um modo de enganá-la.

SILVIO ROMERO E OS CONTOS POPULARES DO BRASIL

Silvio Romero não foi decididamente uma pessoa de uma só profissão. Foi advogado, jornalista, crítico literário, poeta, historiador, filósofo, cientista político, professor e político. E tudo isso em apenas 63 anos de vida, já que ele nasceu em 1851 (em Lagarto, Sergipe) e faleceu em 1914, no Rio de Janeiro.

Romero era também um tanto polêmico, ou seja, suas ideias eram bem-aceitas por algumas pessoas de sua época, mas por outras, não. Mesmo hoje sua produção literária e suas ideias recebem tanto críticas quanto elogios.

Ao longo de toda a sua vida, teve uma preocupação muito grande com a formação da identidade brasileira. O que fazia o nosso Brasil ser como ele é? Como foi formada a sua cultura? Qual era a marca da nossa literatura? O que podemos de fato chamar de nacional? Essas foram algumas das questões que estavam presentes em seus estudos. Daí o seu interesse pelo nosso folclore e tradições culturais, incluindo aí os contos que lemos neste livro.

Sua obra *Contos populares do Brasil* foi publicada primeiro em Portugal, no ano de 1885, e em 1897 no Brasil, numa edição revista pelo próprio autor. A edição que utilizamos como referência para este livro foi publicada em 1985, com notas de outro importante folclorista, o Luís da Câmara Cascudo.

REFERÊNCIAS BIBLIOGRÁFICAS

CASCUDO, Luís da Câmara. *Contos tradicionais do Brasil*. 13ª ed. São Paulo: Global, 2004.

ROMERO, Silvio. *Contos populares do Brasil*. São Paulo: Edusp, 1985.

_____. *Uma esperteza: Os cantos e contos populares do Brasil e o sr. Teiphilo Braga*. Rio de Janeiro: Tipografia da Escola de Serafim José Alves, 1887. Disponível em: <http://www.brasiliana.usp.br/bbd/handle/1918/01614700#page/7/mode/1up>. Acesso em: 23 mar. 2014.

SOUZA, Ricardo Luiz. Método, raça e identidade nacional em Silvio Romero. *Revista de História Regional*, p. 9-30, 2004. Disponível em: <http://www.revistas2.uepg.br/index.php/rhr/article/viewFile/2193/1671. Acesso em: 21 mar. 2014.

A AUTORA

Ana Carolina Carvalho nasceu em São Paulo, em 1971. Estudou psicologia, fez mestrado em educação e atualmente trabalha na área de formação de educadores, em especial junto a redes públicas de ensino.

Quando professora de educação infantil, no início da década de 1990, conheceu melhor os contos de tradição oral e, a partir daí, passou a estudá-los com mais afinco. O que mais a encanta nessas histórias são as semelhanças que podem ser encontradas em narrativas de lugares tão distantes e, ao mesmo tempo, as singularidades que apontam as diversas formas de apropriação das histórias por diferentes culturas.

Tem os seguintes livros publicados: *Contos de irmãos* (2009), *Dez contos do além-mar* (2010), *A conta-gotas* (2015) e *Ler antes de saber ler: Oito mitos sobre leitura literária na escola*, em parceria com Josca Ailine Baroukh (2017).

A ILUSTRADORA

Andrea Ebert nasceu em São Paulo e, no colégio, seu passatempo preferido era desenhar árvores e animais. Nunca imaginou que iria sobreviver de ilustração. Hoje conta com mais de trinta livros ilustrados e quer muito mais.

Seu sobrenome não é brasileiro, mas seu sangue é bem misturado. Além de alemão, tem italiano, espanhol, caboclo e indígena também.

Na primeira vez em que leu este livro para ilustrar, não parou de rir. Ela acredita que os animais deveriam continuar a falar, assim o mundo seria mais divertido.

NOTA DOS EDITORES

Arquitetos da Cidade é uma série editorial – parceria entre Escola da Cidade e Sesc São Paulo – dedicada a escritórios brasileiros que se destacam no enfrentamento dos desafios inerentes à cidade contemporânea. Arquitetos cujas ações nunca perdem a oportunidade de concretizar uma gentileza urbana, ou seja, de qualificar o espaço público com ações positivas. Para esse grupo de arquitetos, certamente é na cidade que reside seu maior interesse, independentemente do que estejam a desenhar. Não por acaso, todos os presentes nessa série estão fortemente ligados à educação – professores universitários que dividem seu tempo entre a prática e o ensino.

Arquitetura é arte complexa: determina o desenho da paisagem, urbana ou não, influi nas relações sociais, qualifica os espaços para as pessoas. É em geral fruto do trabalho coletivo, de muitas disciplinas, de muitos saberes. Por sua vez, a relação entre arquitetura e cidade tem sido o grande tema que a cerca. Fazer cidade, no sentido da qualificação da vida urbana. O enfrentamento dos grandes problemas urbanos que as cidades americanas trouxeram, com seu crescimento explosivo e desigual. O arquiteto hoje se lança sobre essa realidade, concentra seus esforços sobre problemas que, não raro, se apresentam como insolúveis em sua complexidade.

A profusão crescente, quase explosiva, de imagens e vídeos pela internet tornou o universo da arquitetura mais acessível. O que é positivo, não há dúvida. Por outro lado, a conexão das imagens com o percurso e com a coerência do trabalho de um determinado arquiteto diluiu-se. Nesse sentido, a publicação de uma seleção de projetos a partir de um olhar curatorial, incluindo textos, entrevistas, croquis e detalhes construtivos, permite uma aproximação efetiva à poética de cada escritório. Projetos autorais, quando vistos em conjunto, expõem um percurso, sempre marcado por buscas, desejos, experimentações.

Este volume traz o trabalho do escritório Nitsche. Organizado por André Scarpa, conta com colaborações de Catherine Otondo e Daniel Mangabeira, além de entrevista com Lua Nitsche, Pedro Nitsche e João Nitsche, que coordenam o escritório.

EDITORA ESCOLA DA CIDADE
EDIÇÕES SESC

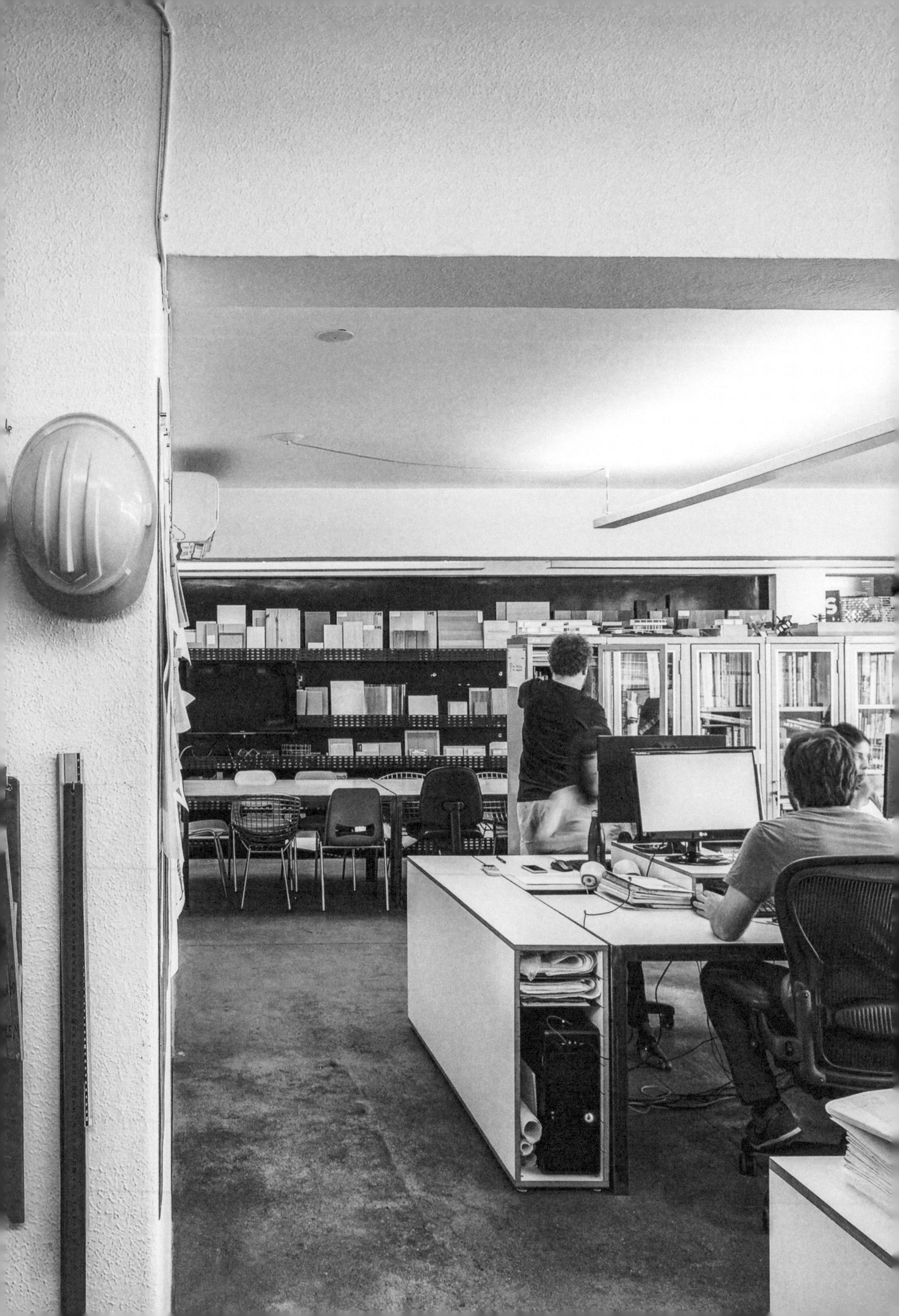

Página ao lado:
Escritório Nitsche Arquitetos, na rua General Jardim. São Paulo, SP, 2019.
Página 2: Visita à obra da casa na Praia Vermelha. Ubatuba, SP, 2015.
Página 8-9: Lua Nitsche e Miguel Maratá durante o churrasco da laje na obra da casa no Guarujá, SP, 2017.

6   Depoimento
    Catherine Otondo

11 Um processo aberto para um resultado transparente
    André Scarpa

14 Os Nitsche
    Daniel Mangabeira

20 Casa em Iporanga
    Guarujá, SP, 2005-2006

30 Casa em São Francisco Xavier
    São Francisco Xavier, SP, 2009-2010

40 Casa em Piracaia
    Piracaia, SP, 2012-2015

50 Casa na Praia Vermelha
    Ubatuba, SP, 2014-2016

58 Edifício João Moura
    São Paulo, SP, 2008-2012

68 Destilaria em Torrinha
    Torrinha, SP, 2018-2021

82 Bairro Novo
    São Paulo, SP, 2004

88 Projetos Visuais

94 Entrevista
    André Scarpa

108 Fichas técnicas

DEPOIMENTO

CATHERINE OTONDO

O prazer e o desafio de escrever este texto vêm da proximidade e do carinho que tenho pelos autores destas obras. Eu os conheci em sala de aula, no ensino médio, quando fui, talvez no caso deles, uma quase inútil professora de desenho, nas aulas de linguagem arquitetônica – na época, requisito para o vestibular das faculdades de arquitetura.

    O direcionamento profissional dos irmãos para o mundo das artes e da arquitetura parecia inevitável. Por serem filhos dos prestigiados artistas Carmela Gross e Marcello Nitsche, e amigos pessoais e colaboradores do arquiteto Paulo Mendes da Rocha, da construção ao desenho, a criação artística poderia ser vista como algo que naturalmente fazia parte da rotina familiar. A casa onde viviam, projeto do arquiteto Mendes da Rocha desenvolvido de modo colaborativo com o casal, sem os desenhos de execução, é disposta em um volume único térreo, feito em concreto aparente e vidro; com sala de um lado, quartos do outro, e a cozinha logo na entrada; a cobertura, uma laje plana de concreto protegida por uma lâmina d'água que em tempos de cheia transborda por um vertedouro de água pluvial que deságua numa linda caixa de concreto no meio da cozinha. Talvez a única extravagância formal da casa.

Na trajetória profissional do trio, que começa com Lua e Pedro, e depois incorpora o trabalho de João – que escolhe como suporte da sua ação artística o espaço arquitetônico –, a herança familiar não pesa, não trava; ao contrário, permite uma expansão do campo criativo e uma liberdade que tornam suas realizações leves e descomplicadas.

Ao estudarmos as casas realizadas pelo escritório numa sequência, encontramos uma cadência, um ritmo, um traço reconhecível; não como um padrão, mas um desenho comum que vai se ajustando um após o outro e encontra seu ajustamento pela constância da repetição.

O primeiro movimento vem de uma organização franca do programa, quartos de um lado, sala do outro, o chão de fora se estende onde precisa, carros ficam longe, ou embaixo. A construção também segue a mesma razão sequencial, concreto no embasamento, como uma extensão da fundação, permite que o chão da casa fique longe do solo úmido; a estrutura metálica entra para responder aos esforços dos grandes vãos, e a madeira laminada colada assume a tarefa de modular os espaços internos e formar a superfície do telhado solta, como uma folha de papel. Numa clara referência às obras de Glenn Murcutt, em suas casas na Austrália.

A resultante volumétrica dessas ações combinadas do jogo lúdico de texturas, cores e transparências surpreende pela coesão da forma; e aqui forma mesmo; é uma forma só, cuja origem vem de um entrelaçar entre a matéria e o vazio, ou seja, forma feita pelo seu avesso. Não há no espaço o acaso, sobras, e lugares sem nome; a subjetividade reside na virtuosa combinação de todos esses elementos, gerando movimentos de massa e luz inesperados. A cor entra com naturalidade e humor, "sem crise", sem se confundir com aquilo que poderia ser compreendido equivocadamente "como um gesto de artista".

A impressão hereditária vinda do mundo das artes aparece na obra dos arquitetos, menos na sua expressão estética, ou nos projetos de comunicação visual, mas nos atributos da sua intenção projetual, que parece se fazer sem os entraves das inúmeras constrições de um projeto arquitetônico: orçamentos, articulação das diversas disciplinas da engenharia, a topografia, a resistência dos materiais, como se tudo isso não fosse capaz de reduzir a potência de um traço original – motivo que nos distancia e enche de "inveja" (pelo menos a mim) em relação ao fazer dos artistas, cuja distância entre autor e o objeto da criação parece próxima, direta e livre. O trabalho dos Nitsche contém esse frescor em suas realizações; são rabiscos soltos e firmes, a cada vez sai de um jeito, sem precisar usar a borracha para corrigir.

Nesse espírito de resolver projetos de um modo franco e direto, está também a extensão da ação política do grupo. Seja pela inteligência em saber comunicar nas empenas da cidade com uma precisão que se destaca numa caótica urbanidade confusa, algo que, de tão simples e óbvio, comove, faz prestar atenção. E uma ação mais direta concentrada na figura de Lua, que conduz de forma resistente o projeto de Requalificação da Praça Rotary, e faz comigo uma parceria de representação no CAU/SP, muito virtuosa. Para o debate no Conselho ela traz uma voz de protesto, indignada, contra as más condições de trabalho de nossa profissão, na dificuldade que, como mulheres, temos ao entrar no mercado de projetos para a incorporação imobiliária – posto que as incorporadoras são na grande maioria dirigidas por homens; na competição desordenada entre colegas em concorrências privadas, e na busca militante por encontrar meios de viver bem, com qualidade, com os recursos do próprio trabalho.

As obras que ilustram este exemplar demonstram essa capacidade de realizar uma arquitetura leve e engajada. Antenada com nossos tempos, que exigem de nós arquitetos e urbanistas que somos, uma postura consciente em relação aos desafios postos no século XXI, mas também na singela possibilidade de se viver pelo fazer de belos desenhos no espaço.

Catherine Otondo é arquiteta e urbanista e doutora pela FAU-USP. Sócia de Marina Grinover e Rafael de Andrade no escritório Base Urbana, professora doutora na Universidade Presbiteriana Mackenzie e primeira presidente mulher do Conselho de Arquitetura e Urbanismo de São Paulo (CAU/SP), na gestão 2021-2023.

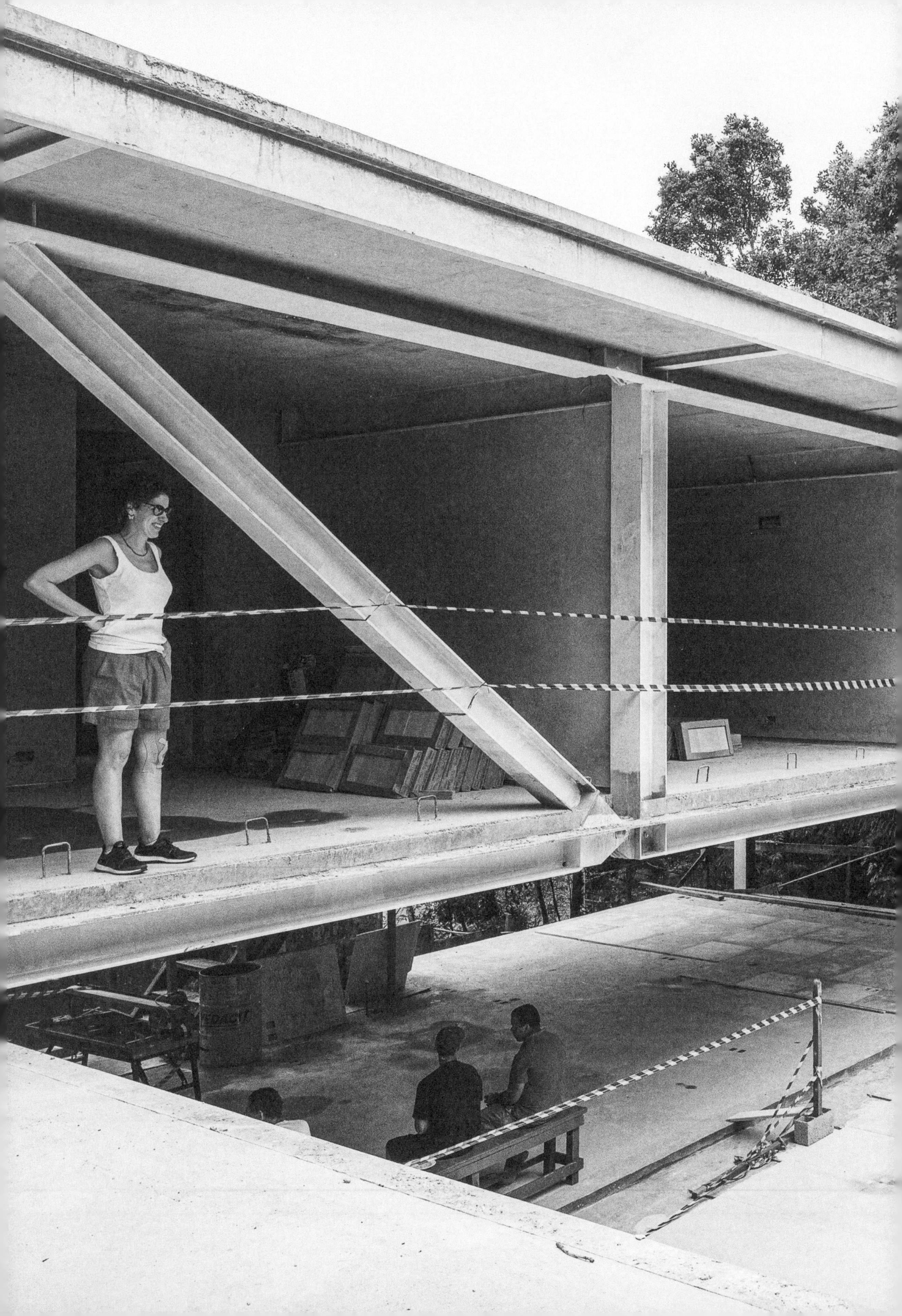

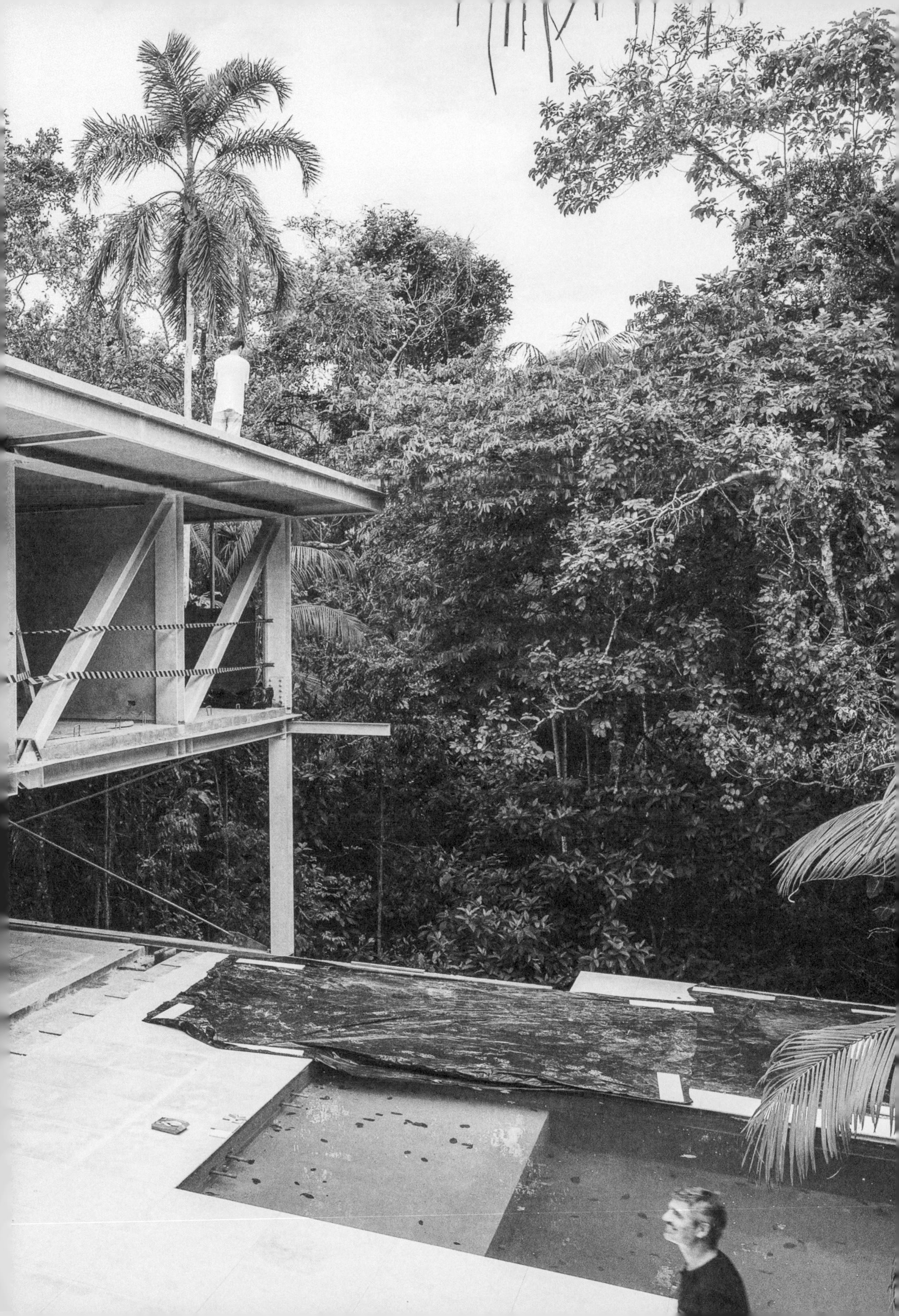

UM PROCESSO ABERTO PARA UM RESULTADO TRANSPARENTE

ANDRÉ SCARPA

A residência Nitsche projetada por Paulo Mendes da Rocha em colaboração com Marcello Nitsche e Carmela Gross na rua Alvares Florence, em 1973, é composta de quatro pilares que sustentam uma laje de concreto sob a qual se conformam sala, cozinha, três quartos e dois banheiros, além de um volume de dependências de serviço. Térrea, tem sua entrada delimitada por um plano de vidro que se repete como acesso do jardim dos fundos. Quando as portas se abrem, o interior da casa expande-se em nível para todo o terreno.

Lua, Pedro e João passaram a infância nessa casa, e por muitas vezes para lá retornam na busca da referência inicial para um novo projeto residencial.

Com essa imagem dou início à tarefa de reunir neste livro material que transmita ao leitor o entendimento do percurso deste escritório de arquitetura.

Os irmãos sócios da Nitsche Arquitetos são capazes de sintetizar em suas produções não só suas referências projetuais e conhecimento da formação acadêmica e dos anos de profissão. Nelas está presente também a vivência pessoal, aliada à interpretação e à boa comunicação com o cliente em questão.

Sua produção resulta numa arquitetura de transparência física, mas também de leitura simples, descomplicada, aliada à intenção de baixa manutenção, versatilidade de usos, síntese construtiva e liberdade para apropriação.

Por isso a forma de organizar as obras selecionadas neste livro buscou uma aproximação inicial pela escala das residências, apresentadas em ordem cronológica, para reconhecer posteriormente como a metodologia de projeto reverbera em escalas maiores, ora na cidade, com o Edifício João Moura, um edifício de escritórios, ora fora dela, com um programa industrial: uma destilaria em Torrinha.

Finaliza-se o crescimento em escala com a apresentação de um projeto fruto de concurso para um plano urbano, o Bairro Novo, e então revela-se um campo de atuação diferencial do escritório em questão: os projetos visuais.

Nesse conjunto de obras é possível entender como os três irmãos Nitsche, os dois primeiros arquitetos, o último artista plástico, ao desenvolver diferentes frentes de trabalho num mesmo espaço físico, acabam por criar um ambiente propício à intersecção entre a arquitetura e as artes visuais, ao mesmo tempo que abraçam suas trajetórias.

A escolha das quatro obras residenciais a integrarem este volume aponta para um pensamento estrutural mais ligado ao método do que à materialidade.

A residência de Iporanga engloba três diferentes técnicas estruturais: o embasamento em concreto armado, criando uma plataforma contínua entre exterior e interior que regulariza o terreno íngreme. Sobre essa plataforma duas vigas metálicas vencem um grande vão que garante maior transparência e permeabilidade da área social. Nessas vigas apoia-se o andar íntimo, em estrutura de madeira, mais leve e menos exigente em termos de amplitude de dimensões, uma vez que tem por módulos os próprios quartos.

Por sua vez, a residência em São Francisco Xavier, térrea, tem por base uma laje de concreto de onde uma leve estrutura de madeira ergue-se protegida do contato com a umidade do solo. A estrutura prescinde dos grandes vãos a favor da leveza e da transparência.

Em Piracaia, um gesto de corte e aterro organiza a inclinação contínua do terreno para receber uma plataforma longilínea cuja lateral é direcionada para as vistas da represa. Mais uma vez o terreno é organizado pela estrutura em concreto armado, e sobre esta desenvolve-se todo o programa íntimo e social da casa. Desta vez em estrutura metálica, o módulo definido para quartos e sala apresenta uma exceção que cria um vão livre de pilares para comportar a varanda que atravessa o programa residencial.

Por fim, a residência na Praia Vermelha se organiza toda em estrutura de madeira lamelada colada, levantando a casa do chão sobre seis pilares para conectar a plataforma do dia a dia com a encosta junto à mata existente. Em ambas, Piracaia e Praia Vermelha, a inclinação das coberturas de telha sanduíche metálica hierarquizam os pés-direitos de ambientes sociais e íntimos.

Se as residências nos apontam para um entendimento do morar de forma simples e adaptável ancorada na liberdade de ocupação em contraponto à construção modular, nos seguintes projetos escolhidos vemos reverberar intenções semelhantes resultantes desse aprendizado.

O Edifício João Moura implanta-se consciente de seu reverberar como intervenção urbana. A organização dos pavimentos promove conexão nos dois níveis de acesso ao edifício, embora um deles seja expectante, ainda não aberto por questões burocráticas em relação a leis de ocupação. Suas laterais, com lajes escalonadas e grande impacto visual na cidade, transformam-se em grandes painéis gráficos tanto para quem desce a rua João Moura como para quem passa pela avenida Paulo VI.

A Destilaria Torrinha revela o mesmo interesse em entender a topografia como aliada ao projeto, porém desta vez em ambiente rural. Aqui não são as leis de ocupação e sim as leis da física que pautam o projeto. A gravidade necessária para o funcionamento do alambique aponta para uma organização linear em patamares, e essa espécie de "escada em linha industrial" recebe uma estrutura de cobertura metálica, onde a ortogonalidade da cumeeira gera a diferença de pé-direito entre a recepção da cana e o armazenamento dos barris.

Encerramos o percurso de projetos desta seleção com um salto em escala. O concurso para o Bairro Novo, projeto de intervenção em uma área de 1 milhão de metros quadrados, aponta para propostas que integram o uso misto como forma de promover conexões na malha da cidade. Os edifícios não se organizam apenas baseados nos eixos viários, mas também na criação de um parque linear, conectado ao rio Tietê, que promove a integração de diferentes cotas altimétricas posicionando equipamentos em pontos nodais estratégicos.

Esse mesmo ambiente urbano, que pede propostas, é a força motriz de criação para outra frente importante e diferencial do escritório: os projetos visuais. É no campo da arte que diversos elementos do fazer arquitetônico vão ser ressignificados a fim de levantar a discussão sobre como utilizamos nossas cidades. Encabeçada por João Nitsche, essa frente de atuação vai estar intimamente ligada à produção da Nitsche Arquitetos, cujos resultados projetuais se valem muito do ambiente de troca potencializado por esses diferentes campos de experimentação.

    Aliados aos projetos expostos, os textos dos amigos colegas arquitetos de convívio próximo presentes neste livro, Catherine Otondo e Daniel Mangabeira, reforçam os fatores importantes que caracterizam a atuação dos três irmãos. Lua, Pedro e João explicitam seus pontos de vista numa entrevista que durou cerca de quatro horas na sala de reuniões do escritório localizado no número 645 da rua General Jardim, e cuja decupagem pode ter sido uma das tarefas mais complicadas desta publicação.

    Isso porque, ao desenvolver as perguntas para a entrevista, tomei como base as experiências que vivenciei durante os seis anos em que fui associado ao escritório, participando do dia a dia da produção. Os questionamentos resultantes desse convívio e levantados na entrevista ressaltaram diversos temas ao redor dos quais a prática do escritório se desenvolve.

    As memórias espaciais, a proximidade do campo das artes plásticas, o uso da cor, as experiências nas passagens por diferentes escritórios, as referências profissionais, o interesse na pré-fabricação, entre outros, são temas presentes na rotina das atividades do escritório.

    A simplicidade da planta da casa da infância está ligada com a escolha de um piso contínuo que propicie liberdade às brincadeiras das crianças que vão utilizar a futura casa projetada.

    A necessidade de acessar terrenos difíceis resulta na utilização de estruturas pré-fabricadas, e o interesse numa fácil manutenção aponta para o estabelecimento de uma linguagem despida de acabamentos desnecessários.

    O pragmatismo das decisões só é possível quando há clareza na comunicação de todas as partes, e estar aberto à discussão durante o processo é o que torna essa comunicação possível e eficiente.

    A tentativa de elencar todos esses elementos parte do reconhecimento destas vivências como um importante aprendizado.

    E é justamente esse aprendizado que intentei compartilhar através da organização deste livro, pois acredito na sua importância como forma de fazer uma arquitetura inteligente e necessária com base no que realmente importa.

André Scarpa é arquiteto formado pela Faculdade de Arquitectura da Universidade do Porto em Portugal. Trabalhou de 2009 a 2011 no gabinete do arquiteto António Madureira onde desenvolveu projetos em colaboração com o arquiteto Álvaro Siza. De 2012 a 2018 integrou a equipe da Nitsche Arquitetos. Desde 2013 atua também como fotógrafo de arquitetura e desenvolve passeios com interesse na mesma área. Em 2018 abriu o escritório André Scarpa onde se dedica a atividade projetual, fotografia de arquitetura e roteiros para passeios arquitetônicos, entre outras atividades ligadas a esse universo.

OS NITSCHE

DANIEL MANGABEIRA

Escrever sobre o trabalho da Nitsche Arquitetos poderia ser uma tarefa fácil, já que a clareza de suas intenções muitas vezes é evidente. Procurei, então, interpretar o que pode estar além do que nos demonstram seus projetos e textos, através da análise de dois "mundos" que fazem parte do dia a dia do escritório: os mundos da arte e o da arquitetura da arquitetura. Me propus a explorar a origem de alguns dos seus interesses em comum, como forma de entender os caminhos que seus trabalhos percorreram até agora e como um exercício válido para me aprofundar na obra do escritório, pois a arquitetura passa a ter outro significado quando a descrevemos com palavras que desviam da materialidade da obra construída. Escrever a respeito deles inicia-se, portanto, por falar um pouco sobre seus pais e, assim, de maneira indutiva, entender seu processo criativo e produção.

Comecemos do princípio. Carmela Gross, artista contemporânea brasileira, e Marcello Nitsche, artista falecido em 2017, ambos com obras em grandes museus brasileiros, são a mãe e o pai do trio que integra este ainda e eternamente jovem escritório brasileiro de arquitetura e arte composto por Lua e Pedro, formados na FAU-USP, e João, formado em artes plásticas pela FAAP. A família viveu boa parte do tempo em uma casa de Paulo Mendes da Rocha, em um ambiente aberto, com transparência visual desde o quintal à rua e com espaço livre para expressão artística. O peso de tamanha herança artística (materna, paterna e arquitetônica) poderia implicar em uma insistente e, por vezes, desconfortável necessidade de afirmação de uma identidade própria pelos sucessores. Não é o que parece acontecer com os integrantes do escritório paulistano.

O primeiro instante de construção de um artista é o pensamento, o momento da ideia e da conexão entre o existente e o desconhecido. O segundo momento é o da expressão, que pode ocorrer através da escrita, fala, gesto ou desenho (imagem), e é neste último exemplo, o desenho, onde os arquitetos que produzem arquitetura encontram campo para expressar o pensamento. O desenho também é um tema constante em textos analíticos[1] a respeito da obra de Carmela Gross, uma artista que, não por coincidência, tem seus trabalhos muitas vezes conectados à escala urbana. Dentre tantas obras analisadas e textos lidos sobre sua trajetória, uma em particular conecta sua produção ao pensamento arquitetônico que procuro decifrar nesta análise sobre os trabalhos do trio. Em uma entrevista à Inés Katzenstein,[2] Gross falou sobre o "desejo de automatizar o gesto" ao explicar o seu projeto "Carimbos". Automatizar aqui entendo como prática de repetição e mecanização adaptada a um imagético construtivo, que resulta em um desenvolvimento analítico estrutural, rítmico e, portanto, eminentemente arquitetônico. Assim como, em um texto de 1993, a crítica Aracy Amaral, ao se referir à obra de Carmela Gross, afirmou que "o artista vale por sua trajetória",[3] por analogia, procuro me imbuir da ideia de que o arquiteto vale por sua crítica, e é nessa estrutura semântica crítica, artística, construtiva, irônica e coletiva que trabalham os integrantes da Nitsche Arquitetos.

O arcabouço projetual do trio extrapola constantemente os limites da arquitetura e da arte, desde o constante uso de cor na monocromática arquitetura paulistana, até uma ação política contida em um "ele não" pintado em uma faixa de pedestre na capital paulista. A produção arquitetônica e artística desse trio é resultado de uma afiada análise dos caminhos que estamos trilhando como profissionais que pensam a cidade. Se, por um lado, essa visão supra-arquitetônica lança obras críticas em diversas direções, observa-se, por outro, uma leveza constante em suas produções artístico-arquitetônicas. Uma descontração onipresente, por exemplo, nas obras de Marcello Nitsche, pai do trio e "o mais *pop* dos artistas brasileiros"[4]. A irreverência e descompromisso com a formalidade acadêmica foi uma característica da atuação deste grande artista brasileiro, transversal à lógica predominante, mas não menos crítico e provocativo.

Não quero e tampouco sou crítico de arte para fazer uma análise das obras desses dois patrimônios brasileiros, mas entender como o substrato familiar forja e orienta, ainda que inconscientemente, o imaginário criativo desse trio ajuda a interpretar como a produção desse escritório de arte e arquitetura revolve o que foi aprendido entre as quatro paredes da FAU-USP e da FAAP, e ajuda a entender como sua produção extrapola a visão crítico-artística presente no núcleo familiar.

Hoje, e talvez isso tenha ocorrido sempre, a independência/liberdade da Nitsche deflagra o que Helio Piñón define como "fundamento estético da modernidade". Explico melhor. Em resposta à pergunta: "em que consiste realmente o núcleo estético da arte moderna?", Piñón responde que "a modernidade institui um modo de entender a forma que substitui o impulso de mímesis pelo da construção. [...] Se renuncia ao sistema tipológico como instância normativa que legitima historicamente – e o endossa formalmente – a estrutura espacial do edifício, para estabelecer sua estrutura no campo da concepção subjetiva [...]."[5]

A produção da Nitsche tem relação direta com essa construção metodológica que não é apenas morfológica ou histórica, mas intrínseca à prática, ao canteiro, à construção em si e a uma ampla formação artística não apenas arquitetônica.

Diante de um relevante acervo de projetos nas áreas de arquitetura, comunicação e arte – cabe aqui ressaltar que essa separação em três áreas de atuação é feita pelo próprio escritório –, o trio expõe a diversidade de atuação, mas principalmente a experimentação como força motriz da sua produção através de uma síntese de complexa compreensão inicial. Dou um rápido exemplo: a Casa Iporanga, construída na Mata Atlântica, mistura em seu sistema estrutural pilares e vigas de concreto, vigas laminadas de aço e madeira, em um projeto sintético e hermético, de primária lógica estrutural, mas, à primeira vista, intricada conexão entre os sistemas usados. A lógica estrutural é simples, mas o resultado aparente confunde os olhos de um observador mais atento.

Bruno Santa Cecília, arquiteto integrante do escritório mineiro Arquitetos Associados, acredita que "os arquitetos não devem pensar o edifício como um objeto, mas como um sistema",[6] pensamento que corrobora a lógica do processo criativo do escritório paulistano e que é constante em diversos outros arquitetos contemporâneos brasileiros e sul-americanos. Dentro das diversas tipologias de arquiteturas construídas nos trópicos, principalmente nas regiões úmidas, há aspectos que revelam um repertório construtivo constante em diversas implementações propostas pelo escritório. Características que podem ser identificadas pela leveza estrutural que se adequa a diferentes tipos de terreno, por soluções de ventilação natural controlada, por propostas de proteção solar advindas da arquitetura ou paisagismo e por soluções pragmáticas, que otimizam a mão de obra e o processo construtivo.

A lógica formal em seus projetos é resultado direto da aplicação de premissas técnicas da construção, o que tampouco implica dizer que a aparência da edificação é apenas consequência pragmática dessa aplicação, afinal estamos falando de artistas filhos de artistas, que não se consideram artistas apesar de sê-los. A linguagem é, portanto, uma consequência desse processo e não um objetivo.[7]

A dinâmica de produção de uma obra de arte ou de um projeto de arquitetura é constantemente orientada pelo custo, elemento castrador de muitos projetos. Mario Pedrosa, escritor e crítico de arte, escreveu um artigo sobre os primórdios da arquitetura moderna no Brasil e cunhou um termo que se adequa muito bem à produção artística e arquitetônica aqui analisada: "dieta funcional".[8] No fundo, a relação estética proporcionada por essa síntese tem conexão direta com preço, já que o supérfluo é eliminado para se chegar ao essencial. Há, ao mesmo tempo, uma intenção arquitetônica, uma economia de meios com uma redução de custo e uma resposta pragmática às demandas do projeto. Arquitetura é, entre as expressões culturais, a que mais tem relação com processos econômicos,[9] assim sendo, a abordagem do escritório tem relação direta com o termo de Pedrosa, pois impossibilita o construtor e o cliente de quererem retirar qualquer elemento do projeto sem descaracterizá-lo.

Diferente de outras grandes arquitetas e arquitetos brasileiros, de quem o primeiro projeto construído não apresenta a maturidade adquirida com a prática profissional ao longo dos anos, a Casa Barra do Sahy, de 2002, um dos primeiros projetos do escritório, já exibe o raciocínio sistêmico contido nos projetos recentes. A lógica estrutural, a simplicidade formal, a cobertura solta da estrutura – solução adequada aos trópicos – materiais simples e bem utilizados já antecipam os caminhos de uma arquitetura oposta à brutalidade do concreto armado e expõem uma maturidade arquitetônica precoce. As cores fortes que aferem identidade ao projeto aparecem na arquitetura com a parede amarela e aplicadas como acessório decorativo constante nas cortinas verde, amarela e vermelha dos dormitórios.

Aproximadamente dois anos depois, os arquitetos arriscam-se em um projeto de escala urbana e participam de um concurso público nacional com o projeto para o Bairro Novo. Cabe aqui um destaque à maquete do projeto, feita com grampos, latas de guaraná, fotografia e fios de cobre – uma maquete que eu teria na parede da minha casa, uma obra de arte! Um aspecto importante nessa proposta diz respeito à paisagem e ao uso dos espaços públicos modificados. Os arquitetos evitam transposições viárias em nível e colocam o pedestre como usuário principal da cidade, atrelando essa qualidade a um princípio constante em vários de seus outros projetos: a mínima intervenção na topografia existente.

Esse princípio de mínima alteração do terreno norteou o projeto para a Destilaria em Torrinha, no interior de São Paulo, que utiliza a declividade do terreno como resposta pragmática a duas condicionantes funcionais primordiais ao projeto: a linha de produção e a gravidade. Quando eles desmaterializam um dos condicionantes, ao colocar a gravidade como peça-chave no projeto de arquitetura, e respondem a isso com uma proposta extremamente racional, quebram o entendimento do que pode ser entendido como referencial a um projeto. O imaterial é usado como premissa para o material. Na regularidade da solução estrutural do invólucro metálico, apresenta-se o "desejo de automatizar o gesto"[10], quebrada apenas na área de descarga na porção mais alta do edifício, onde a estrutura em pórtico é interrompida para dar acesso aos caminhões. A função sobressaiu-se à forma, mas sem prejuízo a esta última. Cabe ressaltar que o terreno é indicado no memorial do projeto como terceiro elemento condicionante – depois da linha de produção e da gravidade –, mas é através dele que a sequência produtiva da cachaça é permitida. Apesar da poesia contida no uso da gravidade como elemento de solução arquitetônica, no final, o que permitiu a sequência de produção da cachaça foi mesmo a topografia descendente onde a Destilaria foi implantada.

Também é a topografia que orienta a implantação do Edifício João Moura e reforça o desejo dos arquitetos de intervir no terreno de maneira sutil e ao mesmo tempo gerar um edifício com forte e respeitosa presença na paisagem urbana. A implantação adequa-se às duas entradas do terreno e abre espaço para a rua como um convite ao pedestre para entrar, em uma decisão delicada e gentil. Um aspecto projetual interessante desse edifício é a velocidade. Sim, velocidade. Assim como usaram a gravidade como justificativa de projeto na destilaria, a velocidade é elemento importante na apreensão da fachada lateral do edifício. Da avenida Sumaré, via de grande fluxo, tem vista privilegiada do edifício – que se destaca na paisagem pela volumetria escalonada e principalmente pelos painéis coloridos laterais que criaram a sua identidade – tanto o é, que as fotos mais importantes do projeto não foram feitas das ruas de acesso ao edifício, mas da presença marcante e ao mesmo tempo meticulosamente delicada do edifício na paisagem.

Essa delicadeza é evidente também na implantação da Casa Praia Vermelha,[11] onde o terreno com acentuado aclive situa-se em uma região intocada de Mata Atlântica. Novamente, a mínima intervenção no terreno e o respeito ao entorno imediato reforçaram a simbiose entre o ambiente construído e o natural, quase como se a casa fosse um desses belos animais coloridos que abrem suas asas para nos encantar, e ficamos por horas parados, admirando-os.

A residência em Iporanga, a mais antiga da relação de projetos aqui publicados, repousa sobre o terreno sem alterar suas curvas de nível e, com isso, reforça a permeabilidade necessária para um projeto construído em um dos biomas mais importantes do país. Essa casa é um prefácio da produção do escritório, que vê nas linhas retas, nas soluções estruturais, na transparência, na técnica, na leveza, na cor e na topografia um roteiro arquitetônico lógico, linear e nada monótono.

A palavra "topografia" poderia dar nome à residência Piracaia. A extensa e levemente inclinada cobertura é de certa maneira um espelho à contínua e ascendente topografia do terreno onde a casa foi implantada. Uma relação simbiótica criada pela topografia e não necessariamente pela paisagem. Independentemente da dimensão do projeto, a Nitsche não intervém no sítio para criar um terreno inventado, mas adapta-se a ele, e assim, contraditoriamente, o reforça. Em seus projetos, a ideia não é criar uma autonomia com a topografia, mas participar de uma coexistência benéfica a ambos e postular disposições espaciais que façam indeterminável se o terreno foi feito para a edificação ou a edificação para o terreno, numa lógica avessa ao "*nature × nurture*".

Outro elemento constante em seus projetos, a transparência, é uma propriedade utilizada no campo físico/material, mas posso dizer que também no conceitual. Eles usam a transparência como evidência, com a intenção de demonstrar os elementos da construção, e não apenas para aumentar a conexão entre espaços e tornar a construção mais leve. Evidência como qualidade do que é evidente, como condição de destaque, como aquilo que indica existência e como constatação de uma verdade que não suscita dúvida.

Exemplo dessa abordagem projetual pode ser conferido em diversos momentos, seja no uso da esquadria como elemento de transparência, para revelar o sistema estrutural da laje na Casa Iporanga, seja na permeabilidade visual de um edifício de escritório como o João Moura, na exposição onipresente da estrutura da cobertura da Residência Piracaia, ou através do uso de uma telha translúcida que reveste e revela a casa da Praia Vermelha, ou ainda todo o invólucro da Destilaria, que cria duas arquiteturas: uma noturna e outra diurna. A transparência nessas e em outras obras, como na Casa Jurumirim, Casa Guarujá, projeto da Vila Buarque, Casa Barra Bonita, São Francisco Xavier e tantos outros projetos, revela os espaços através da verdade da construção, a estrutura através da exposição de seus elementos e a arquitetura através da continuidade espacial. Além da conexão com arquitetura moderna, a abordagem do escritório reforça a filiação à Escola Paulista, porém, transcende o envolvimento com dogmas e mestres pouco criticados. Há uma honestidade quase didática nos ambientes construídos que expõe muito do que eles são. Como diz Angelo Bucci, "você constrói muito do que você é".

Artes plásticas e a arquitetura são inseparáveis na obra dos Nitsche. O uso da cor em seus projetos é um mecanismo de uma expressão artística, e reforço, um mecanismo de expressão arquitetônica. Contida em vários de seus projetos, é um elemento de conexão com seu histórico familiar e de resgate de aspectos identitários de grandes arquitetos brasileiros. A arquitetura brasileira já foi mais colorida. João Batista Vilanova Artigas tinha a constância do uso de cores em diversas de suas obras, como no Edifício Louveira (1946), com suas esquadrias amarelas, paredes vermelhas e azuis, na vermelha Casa João Luiz Bettega (1953) em Curitiba, na Casa Olga Baeta (1957), reformada pelo escritório SPBR em 1998, nos triângulos azuis e brancos da Casa Rubens de Mendonça (1958), na caixa d'água vermelha da Casa Edgard Niclewicz (1978), e até mesmo na cor caramelo de sua obra-prima: a Faculdade de Arquitetura e Urbanismo da Universidade de São Paulo (1969), projeto compartilhado com Carlos Cascaldi.

Múltiplas cores também foram expostas na Casa Olivo Gomes (1951), de Rino Levi e

Roberto Cerqueira César, nas esquadrias esverdeadas e avermelhadas do edifício Lausanne (1958), de Adolf Franz Heep, nas diversas obras do construtor João Artacho Jurado, com seus coloridíssimos Edifício Cinderela, Edifício Bretagne, Viadutos, Louvre, entre tantos outros. Jacques Pilon e Gian Carlo Gasperini coloriram a avenida Paulista com o azul do Edifício Paulicéia (1956). Sérgio Parada pintou de vermelho[12] a cobertura do portal de entrada de Brasília, em seu aeroporto (2000), e pincelava todos os seus projetos residenciais e institucionais com a latinidade colorida peculiar à nossa cultura. Um ícone da nossa arquitetura e um marco referencial da cidade de São Paulo, o Masp (1968), projeto de Lina Bo Bardi, tem a sua estrutura portante pintada de vermelho. Outro grande arquiteto brasileiro que pensava arquitetura como uma expressão cultural vinculada à técnica e às artes, fazendo sempre o uso da cor em seus projetos, foi João Filgueiras Lima, o Lelé. A parceria criada entre o arquiteto e o artista Athos Bulcão produziu as mais belas obras da arquitetura brasileira, em que quase todas as cores utilizadas em seus projetos foram meticulosamente definidas pelo artista. Os "sheds" amarelos dos hospitais Sarah Kubitschek, as coberturas vermelhas das passarelas metálicas de Salvador, os muros multicoloridos das casas e hospitais em diversos lugares do Brasil, os brises verde e laranja dos edifícios Camargo Correa e Morro Vermelho em Brasília são exemplos marcantes de uma arquitetura brasileira outrora mais atrelada às artes e menos atrelada a fachadas com painéis de madeira e concreto aparente ripado.

Como enumerado, foram diversos os arquitetos que construíram projetos onde a cor fazia parte da intenção projetual. Obviamente, essa não é uma exclusividade atribuída a arquitetura moderna e tampouco a um espaço temporal da arquitetura brasileira, visto que temos na contemporaneidade inúmeras edificações que fazem uso da cor em seus espaços e fachadas, mas são poucos os arquitetos e arquitetas que o fazem de maneira constante como os Nitsche. Em uma entrevista ao portal Entre, quando questionados sobre o significado do uso da cor em seus projetos,[13] Lua e Pedro responderam de maneira direta que era influência das artes, mas também um artifício de diversão para todos. Imagino que o pai, Marcello, responderia da mesma forma despretensiosa, e acrescentaria que a prática do uso da cor é uma diversão para os autores, mas principalmente para os usuários.

A somatória dos projetos expostos nesta publicação produz uma visão híbrida, coesa, apesar de diversa, cujas abordagens aparentemente autônomas, dadas as singularidades de cada projeto, compartilham algo além de uma autoria coletiva, que é o emprego de uma retórica crítica para o essencial na arquitetura: a construção. Nesse sentido, a constância e a reinterpretação dos projetos com lógica pavilhonar são mais um reflexo da "automação do gesto" dos autores, aplicação pragmática de técnicas construtivas que tangenciam a industrialização, atreladas a um desprendimento formal intencional, não contraditório, de expor a obra através da sua construção, não como consequência estanque constante em seu resultado formal. A máxima da arquitetura moderna, cunhada aqui no Brasil pelo mestre Oscar Niemeyer, "quando a estrutura está feita, a arquitetura está pronta", conecta-se diretamente à produção arquitetônica desse escritório, mas com uma abordagem contemporânea repleta de interfaces.

É inegável que a arquitetura moderna é a base da produção feita pelo escritório, porém, apesar de viver em um contexto predominante de arquitetos filhos do concreto aparente, a Nitsche flana com a leveza das estruturas em aço e madeira, trabalha a pré-fabricação como tema intrínseco ao processo projetual e, contraditoriamente (ou não), interliga essas técnicas ainda pouco hegemônicas na construção brasileira com o uso do desenho à mão e de *softwares* "low-tech". Em seus trabalhos, a tecnologia está conectada com o processo de construção e não obrigatoriamente a programas de computador utilizados nesse desenvolvimento, ou sequer com a acuidade da imagem do projeto ainda no campo virtual. Em outras palavras, o escritório dá relevância à tecnologia envolvida na construção física do edifício, não à sua representação digital, afinal, tecnologia na arquitetura não necessariamente indica progresso. Nesse sentido, a produção do escritório não está aprisionada a tecnologias desenvolvidas de projetar ou justificativas teóricas que permeiam a confecção de um trabalho acadêmico, mas ao desenvolvimento através da construção e ao pensamento através do desenho. E isso é muito.

Aqui retorno ao início do texto e reforço o que disse Jacopo Visconti a respeito da Carmela Gross, quando afirmou ser o desenho uma constante na produção da artista. Efetivamente, arrisco dizer que é uma constante em toda a família. Peço licença para citar um caso marcante, pelo menos para mim, da importância do desenho como ferramenta de expressão do arquiteto. Em 2015, Lua foi convidada para ministrar um workshop promovido pela Universidade de Brasília, que interveria hipoteticamente em uma porção previamente definida da Orla do Lago Paranoá. Tive o prazer de com ela dividir a mentoria desse grupo de aproximadamente dez alunos, quase todos, evidentemente, em posse dos seus respectivos computadores pessoais; poucos foram os que levaram seus cadernos com lápis. No início do antepenúltimo dia de trabalho, Lua, de maneira impaciente em razão da demora do grupo em apresentar um projeto minimamente desenvolvido, bate forte à mesa, manda todos desligarem seus computadores e, de maneira altiva, decreta que todos apenas utilizarão lapiseira e papel daquele ponto em diante. Não poderia ter sido melhor. O que deveria ter sido desenvolvido pelos alunos em uma semana, o foi em praticamente dois dias. O fato é contado entre amigos com leveza, de maneira engraçada, nada jocosa obviamente, mas revela e reforça como o desenho é, acima de tudo, uma expressão indissociável ao trabalho dos Nitsche.

Ampliar o contexto imediato e não se atrelar apenas às evidências para dar início a um projeto deve ser um procedimento padrão na dinâmica projetual do escritório. Eles entendem esse contexto como algo maior do que o tangível e fazem a arquitetura responder de maneira pragmática e indissociável da beleza. Por isso, a síntese da produção do escritório está além do que expressam suas obras; está no espaço de convergência entre arte e arquitetura como forma de expressão de um trabalho coletivo, crítico, interdisciplinar, técnico, não linear, tradicional e ao mesmo tempo progressista. Arte e arquitetura como áreas autônomas e indissociáveis. Arquitetura e arte sem ordem de prioridade ou grandeza. Arte e arquitetura como uma folha branca de papel pronta para ser ocupada pela mais livre expressão do artista e arquiteto: o desenho.

Daniel Mangabeira da Vinha é formado pela Universidade de Brasília-UnB, mestre em Arte na Arquitetura pela Westminster University no Reino Unido. Sócio fundador do BLOCO arquitetos, com sede em Brasília. Ex-presidente do Conselho de Arquitetura e Urbanismo – DF (CAU/DF), ex-conselheiro da Fundação Athos Bulcão, ex-diretor cultural do IAB-DF e um dos fundadores do Atelier Piloto, grupo brasiliense de arquitetos formados pelo BLOCO, ArqBr e MRGB.

1 Jacopo Crivelli Visconti. Publicado em *LAB: 2014-2017*. Bratislava: Slovenské centrum vizuálnych umení, Kunsthalle Bratislava, 2017, p. 219-220.
2 Inés Katzenstein, Carmela Gross, 10 set. 2021. Entrevista publicada originalmente em *Magazine MoMA*.
3 Aracy Amaral. *Carmela Gross: Hélices*. Rio de Janeiro: MAM, 1993. Catálogo de exposição.
4 Expressão usada por Mário Schenberg no livro *Pensando a arte*, 1988.
5 Helio Piñón. *Teoría del proyecto*, Editora UPC, p. 22.
6 Bruno Santa Cecília fez essa afirmação em uma palestra na Universidade de Brasília em 2017, por ocasião do 5º Encontro CAU/DF.
7 Em um artigo para a revista *Punkto*, a respeito do escritório Lacaton e Vassal, José Capela assim descreve sua produção: "A linguagem é, portanto, uma consequência, e não um objectivo. É deduzida da necessidade, e não objecto de uma intencionalidade autônoma. Torna-se *literal*". Disponível em: <www.revistapunkto.com/2015/02/arquitectura-pela-arquitectura-lacaton_4.html>.
8 Termo usado por Mario Pedrosa no artigo "Arquitetura e crítica de arte", publicado originalmente no *Jornal do Brasil*, em 22 de fevereiro de 1957, e republicado no livro *Mario Pedrosa – Arquitetura Ensaios Críticos*.
9 Maria Emília Bastos Stenzel, professora de teoria e história, defende que arquitetura, entre as expressões culturais, é a que tem maior relação com processos econômicos.
10 Termo utilizado por Carmela Gross ao explicar sua obra "Carimbos".
11 O projeto, de autoria do escritório, teve coordenação de projeto de André Scarpa e Tiago Kuniyoshi.
12 Entre todos os exemplos citados de arquitetos que usaram cores em seus projetos, o único projeto que não tem mais a coloração original é o do aeroporto de Brasília, que, ao ser reformado, apagou as principais características do autor Sérgio Parada.
13 Disponível em: <http://entre-entre.com/?EntrevistaId=13>.

CASA EM IPORANGA

GUARUJÁ, SP, 2005-2006

A residência está situada em um condomínio de casas de veraneio no litoral do estado de São Paulo, aproximadamente 120 km a leste da capital. O condomínio inclui uma grande área de preservação da Mata Atlântica original.

A exuberância dessa mata nativa levou o cliente (casal de 45 anos com três filhos adolescentes) a solicitar uma casa que ocupasse pouco do lote e fosse envolvida pela vegetação existente. Ao mesmo tempo, ele não prescindia das cinco suítes e de uma área de estar ampla, o que demandava uma área de construção não inferior a 400 m².

Optou-se então por distribuir o programa em três níveis: um volume suspenso de madeira contendo as cinco suítes integradas por uma varanda junto à copa das árvores; um plano (laje de concreto) suspenso do solo como suporte de todas as atividades sociais e de recreação da casa; e, sob este, uma pequena área construída para acomodar as instalações de serviços.

O volume de madeira das suítes paira sobre o plano de concreto; sob ele, à sombra, estão a cozinha e as salas de jantar e de estar, encerradas em todo o perímetro por um caixilho de vidro transparente que protege das intempéries ao mesmo tempo que garante a plena integração entre o ambiente interno e o externo.

O partido estrutural da casa foi inspirado numa típica construção dessa região litorânea, que são as pontes para pequenas travessias de canais e mangues. Pelo solo úmido, por vezes encharcado, prolongam-se da fundação os pilares de concreto. Eles sustentam o grande plano da laje de concreto, e quatro deles prolongam-se para receber as duas vigas metálicas que sustentam a caixa de madeira das suítes.

A vedação é toda independente da estrutura e em grande parte industrializada: são painéis tipo wall e caixilhos de alumínio, no intuito de fazer da construção um processo mais de montagem do que de moldagem *in loco*.

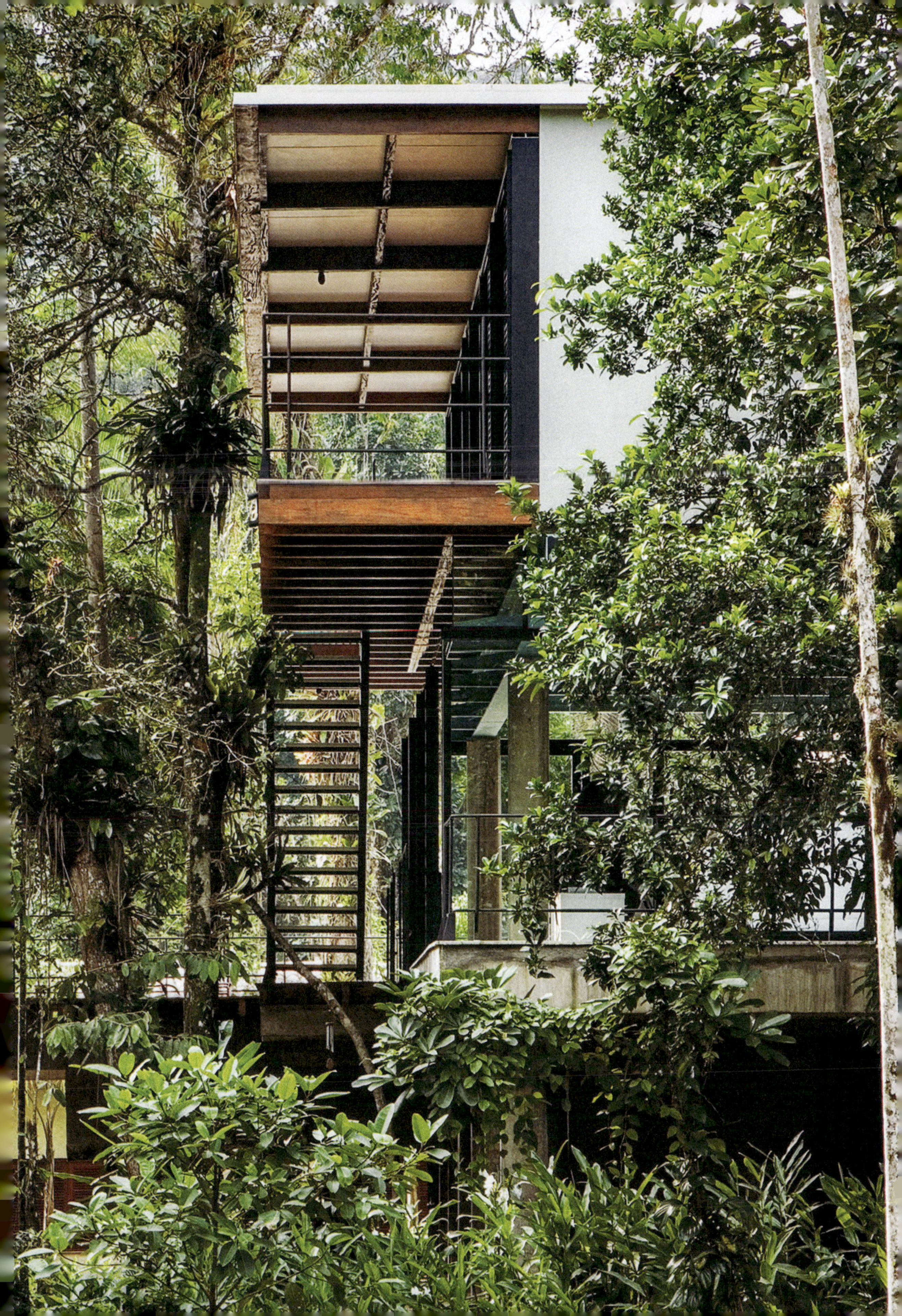

22

A. Planta térreo
B. Corte transversal
C. Planta 2º pavimento
D. Corte longitudinal

0 2 5m
1:350

A.

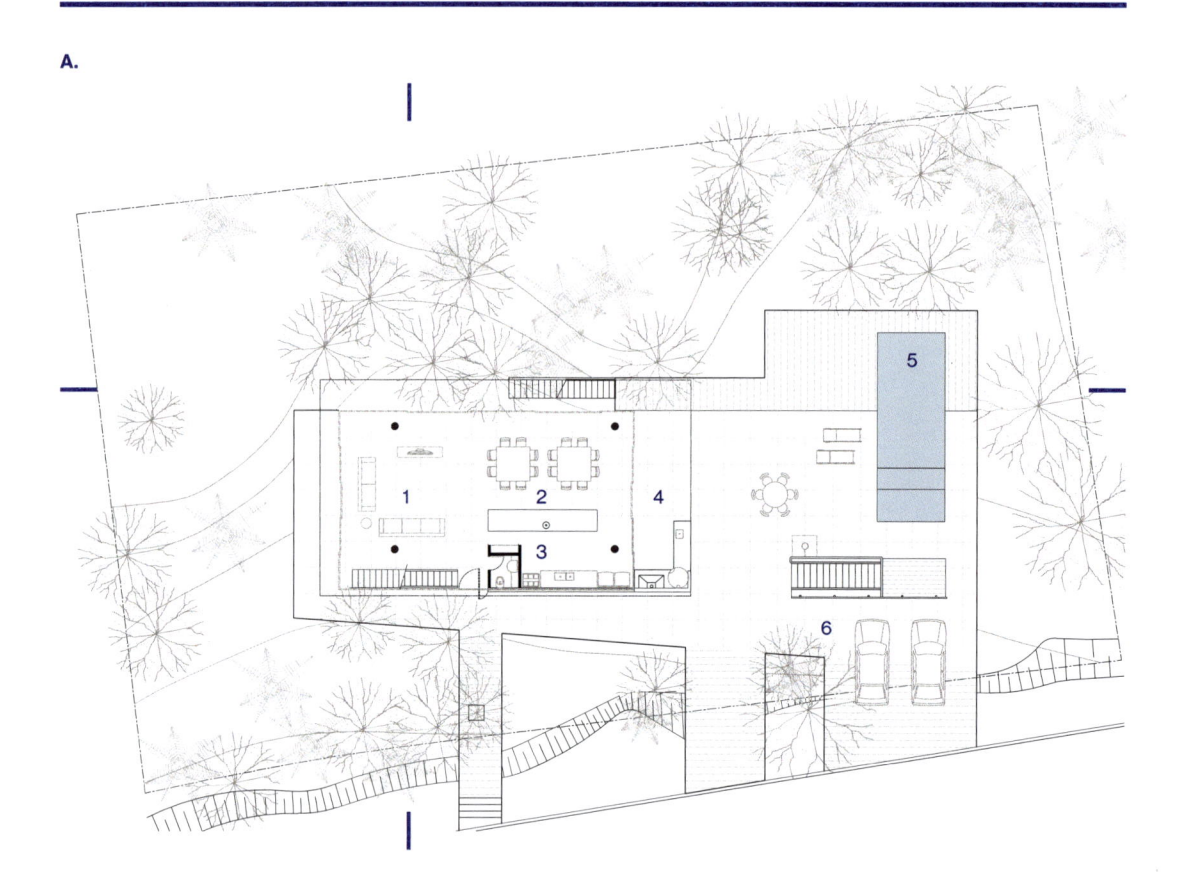

B.

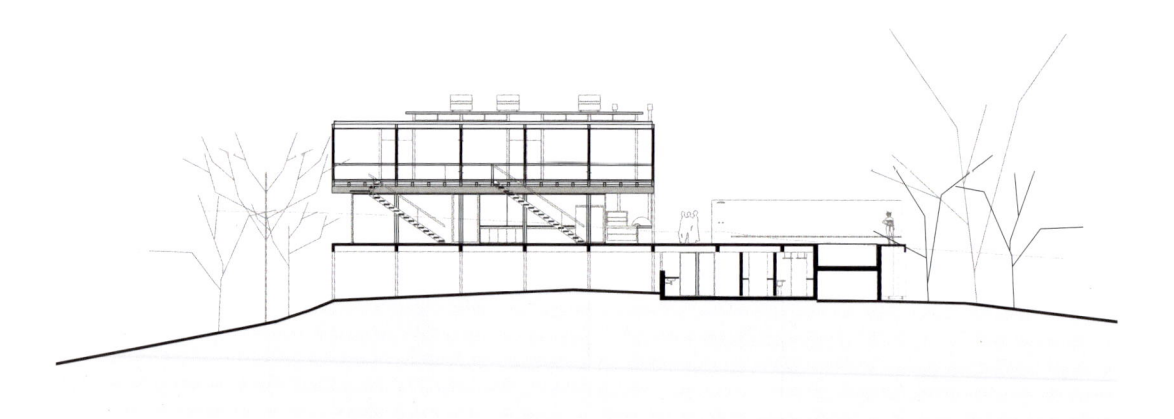

1. Estar
2. Jantar
3. Cozinha
4. Gourmet
5. Piscina
6. Garagem
7. Suíte
8. Suíte máster

C.

D.

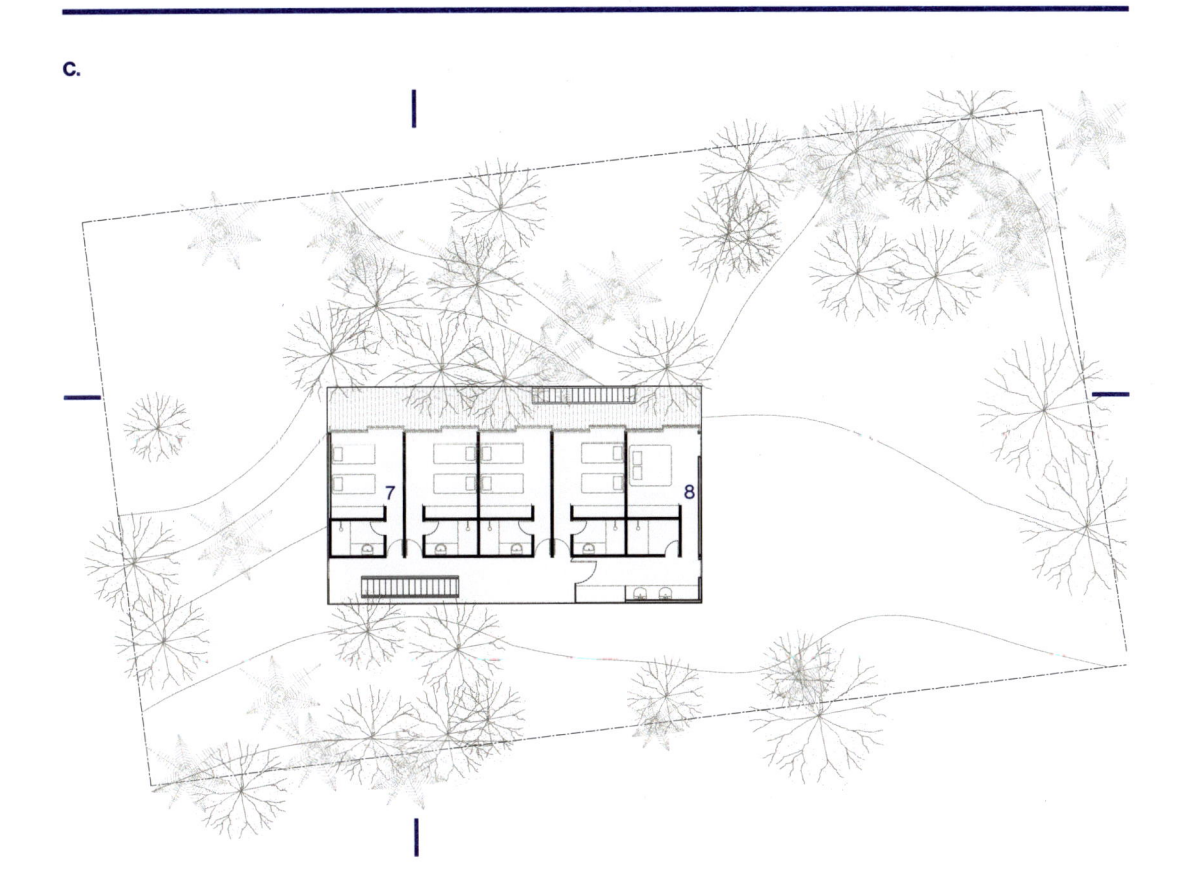

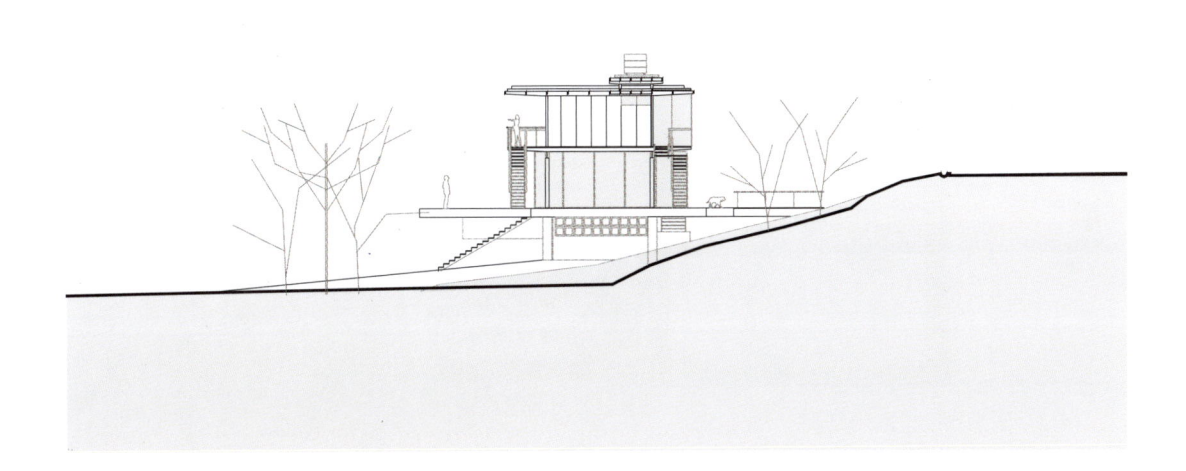

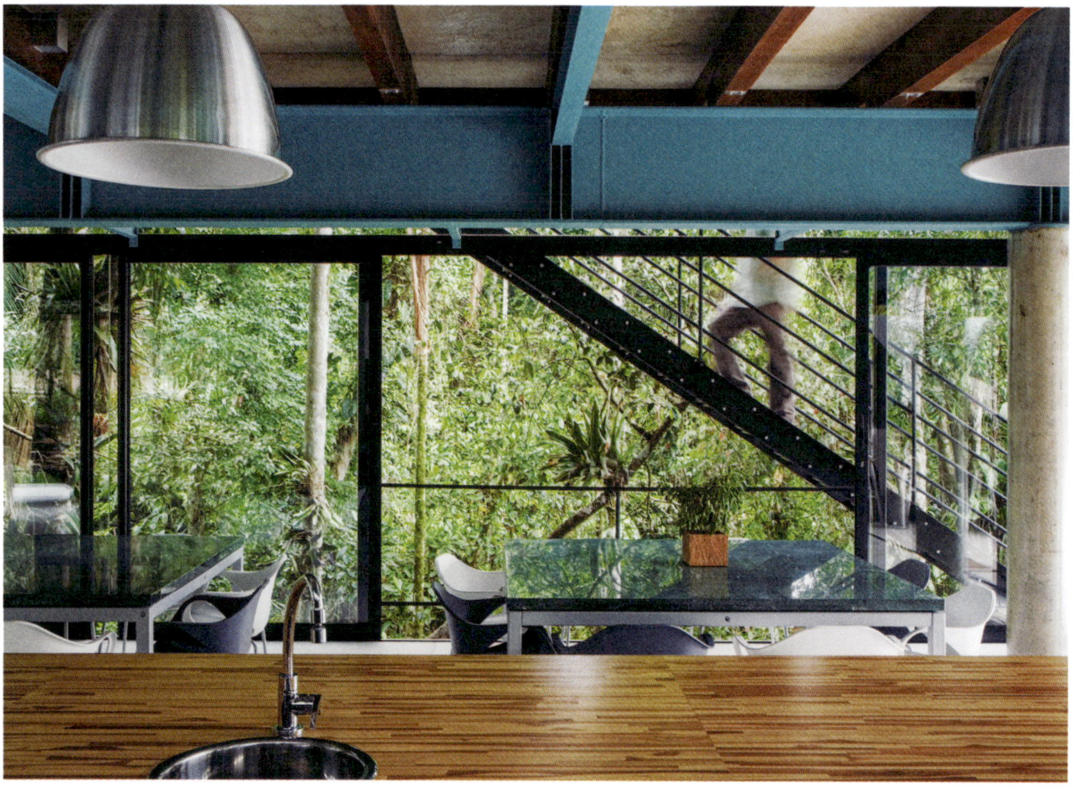

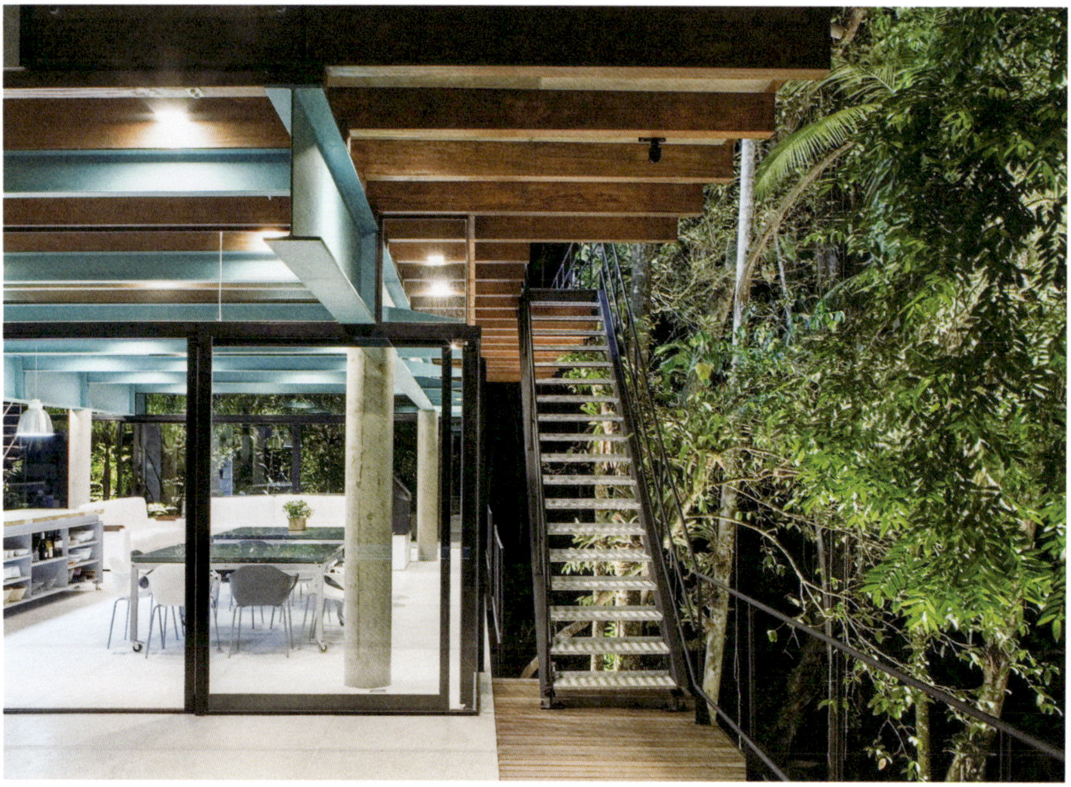

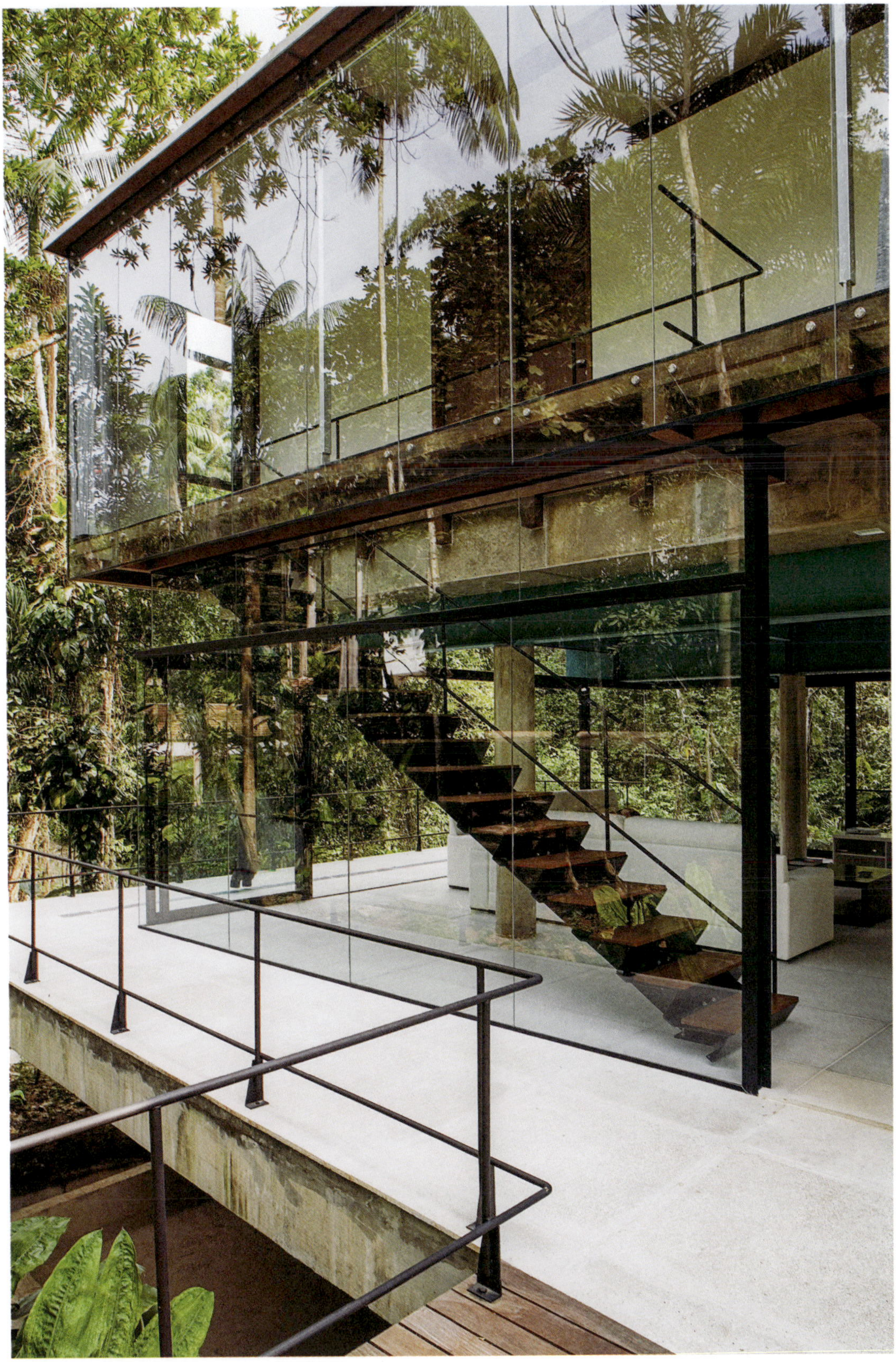

26

E. Croqui
F. Detalhamento construtivo
G. Isométrica estrutural

E.

F.

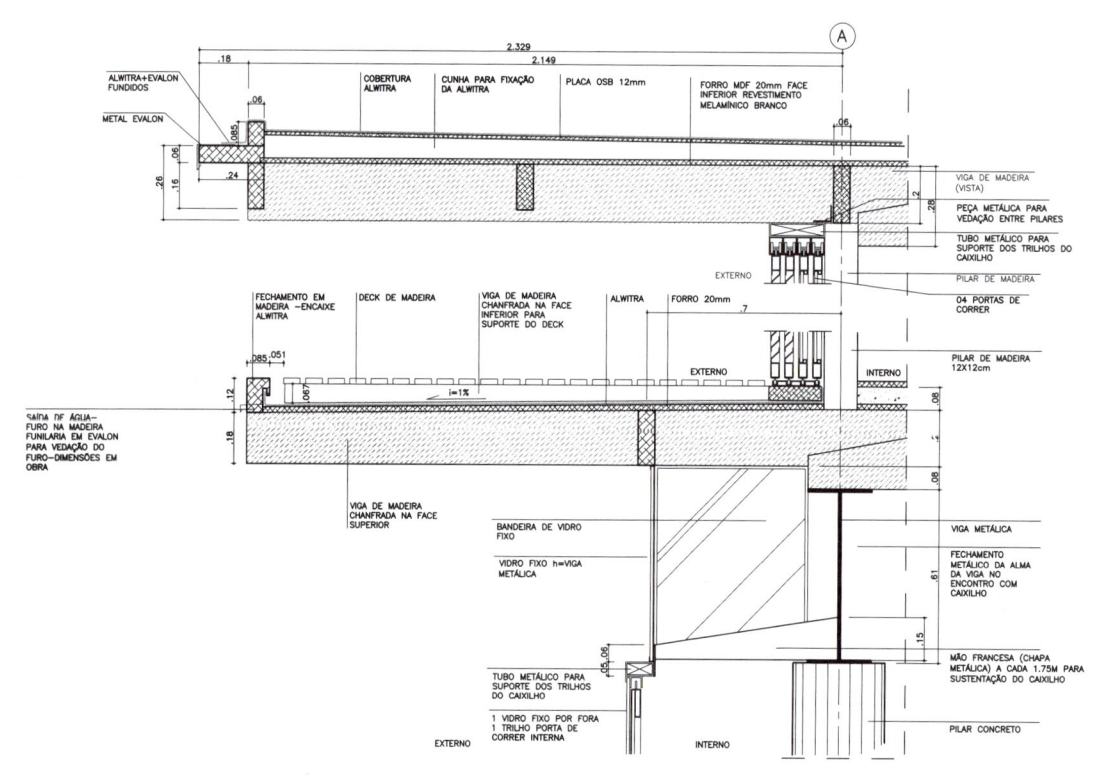

1. Shed do banheiro
2. Estrutura do telhado
3. Alwitra
4. Caixa de madeira suspensa
5. Vigas metálicas
6. Laje pré-fabricada em concreto
7. Pilares em concreto

G.

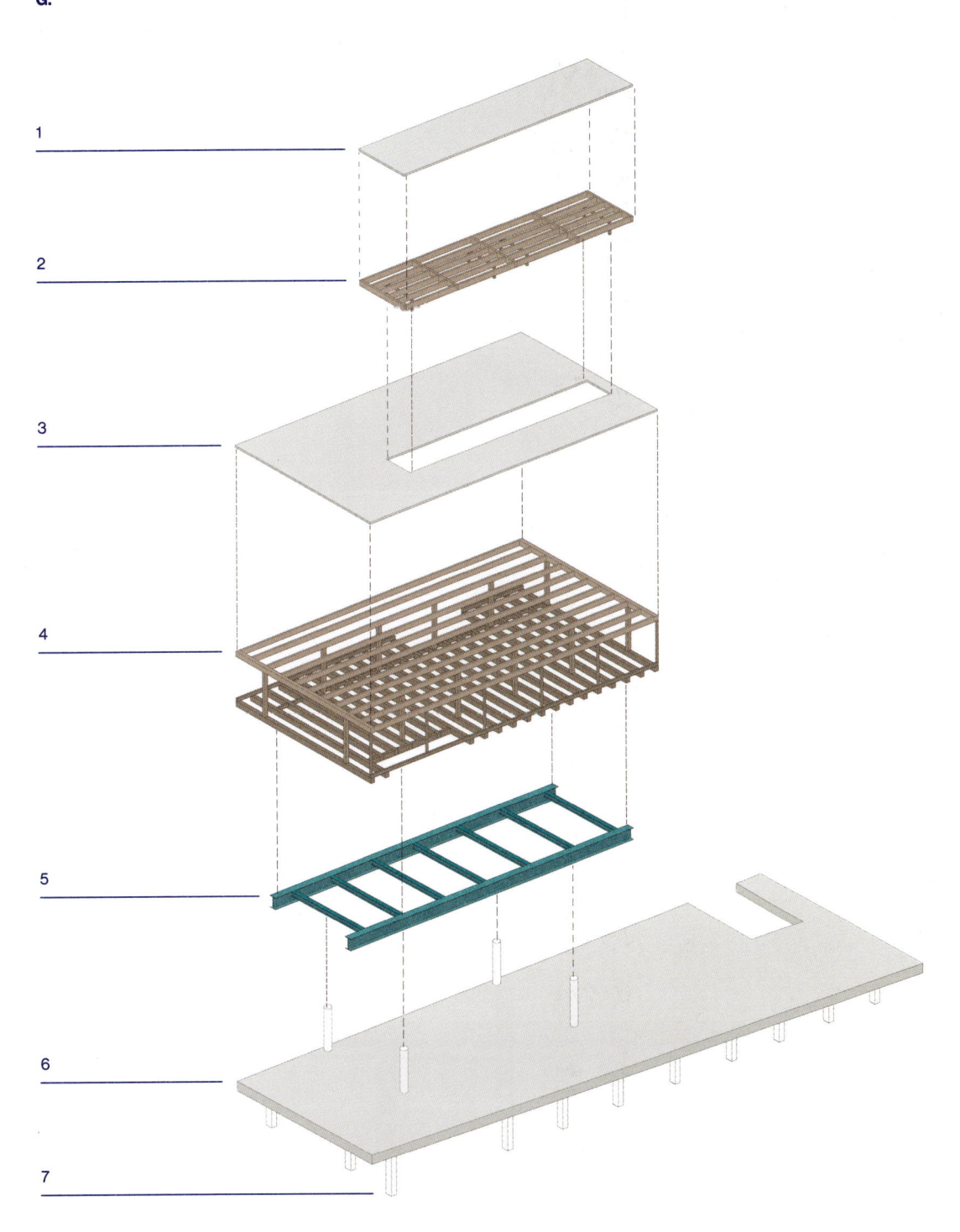

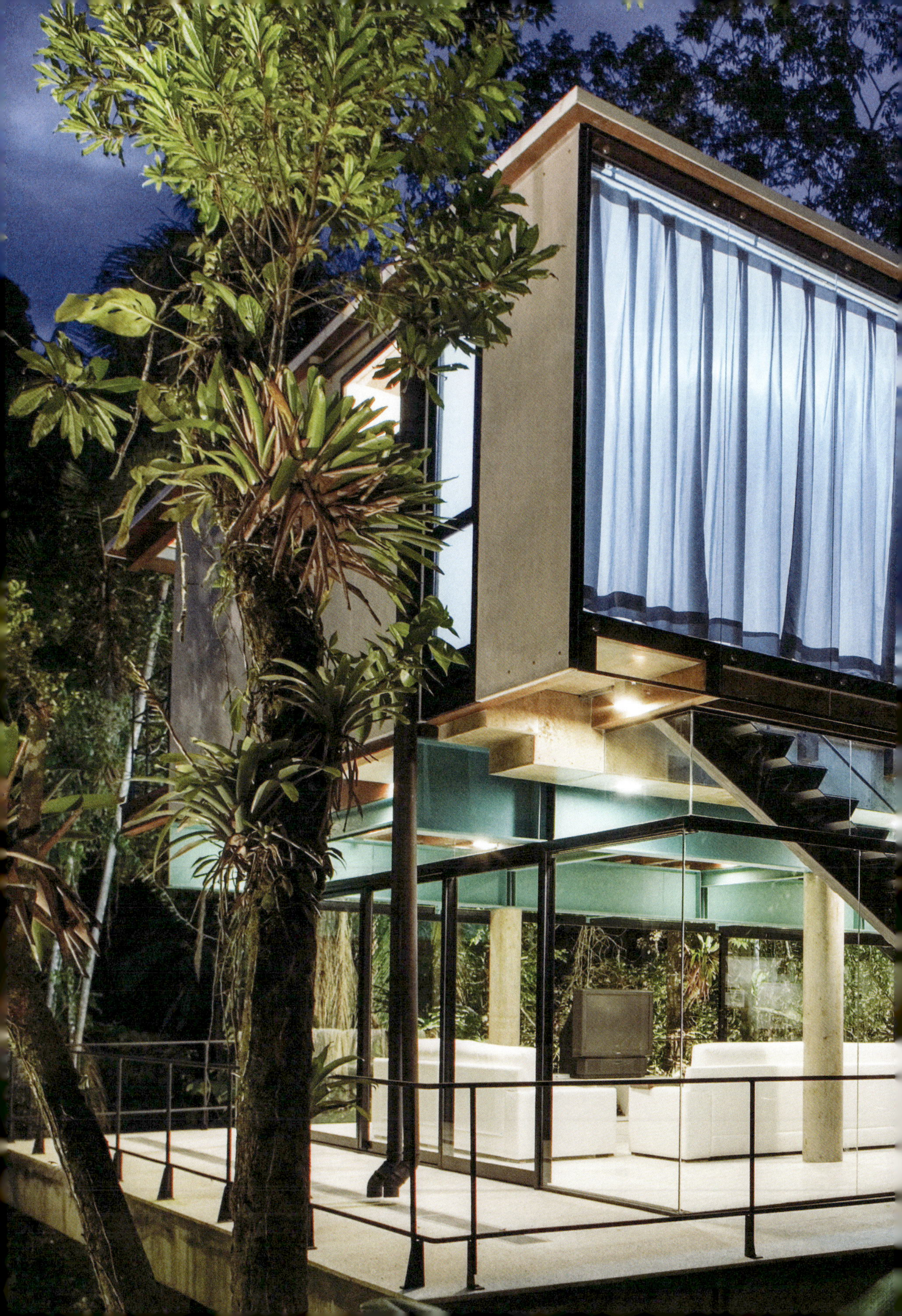

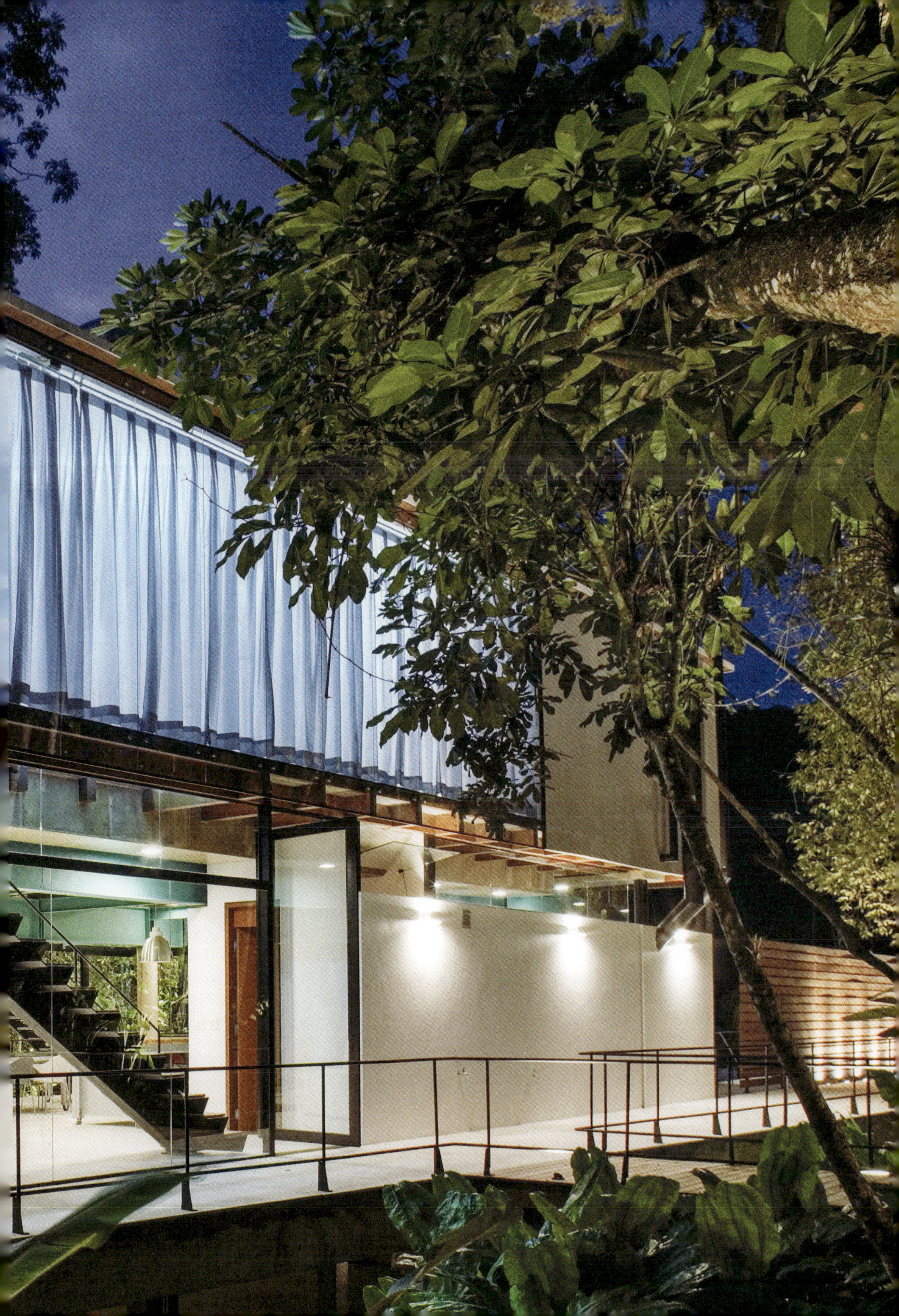

CASA EM SÃO FRANCISCO XAVIER

SÃO FRANCISCO XAVIER, SP, 2009-2010

O terreno é uma colina no mar de montanhas, com o topo e o vale dentro dos seus limites, rodeado de natureza exuberante e imponente, com a presença marcante do céu e do horizonte.

Optou-se por situar a casa na borda da colina, com uma fachada grande, retilínea e transparente voltada para o vale. Esse corpo principal da casa é comprido e estreito e contém quatro suítes, cozinha, sala de estar e varanda. O setor de serviço e a sauna definiram-se como anexos, ligados transversalmente ao corpo principal da casa, voltados para a parte plana do terreno.

A distribuição desses setores conforma uma espécie de pátio aconchegante e protetor a céu aberto. É como se a casa possuísse dois espaços distintos definidos pela borda da colina: um corpo principal voltado para o vale, e um espaço de encontro, voltado para o interior do terreno.

Uma análise cuidadosa do clima e dos acessos levou à proposta de uma construção leve, pré-fabricada, e implantada de forma a exercer interferência mínima no local, com pouco desperdício de material, de tempo e de mão de obra.

A casa está elevada do terreno, solução que preserva as características naturais deste, evita a necessidade de terraplanagem, mantém o solo permeável às águas da chuva, permitindo a passagem de ar e isolando o piso da umidade. Também permite a criação de área técnica para manutenção das instalações hidráulicas e elétricas sob o piso.

O grande volume retilíneo está implantado no sentido leste-oeste. Assim, a fachada principal fica orientada para norte, recebe muita iluminação durante o inverno e fica protegida no verão. A cobertura é um sanduíche de componentes leves: chapas de forro MDF pré-pintadas nas duas faces, barrotes e lã de rocha como recheio e isolamento, cobertos por chapas de OSB inclinadas, impermeabilizadas por manta vinílica. Esta solução, apesar de leve, é de grande eficiência, minimizando assim a necessidade de climatização ativa, como ar condicionado e aquecedores elétricos.

O projeto procura racionalizar, sistematizar e pré-fabricar o maior número de componentes possíveis da casa. Apenas a plataforma de concreto, elevada do solo que define o piso, foi executada no local. Os demais componentes foram rigorosamente especificados para a pré-fabricação e modulados para que fossem apenas montados no local.

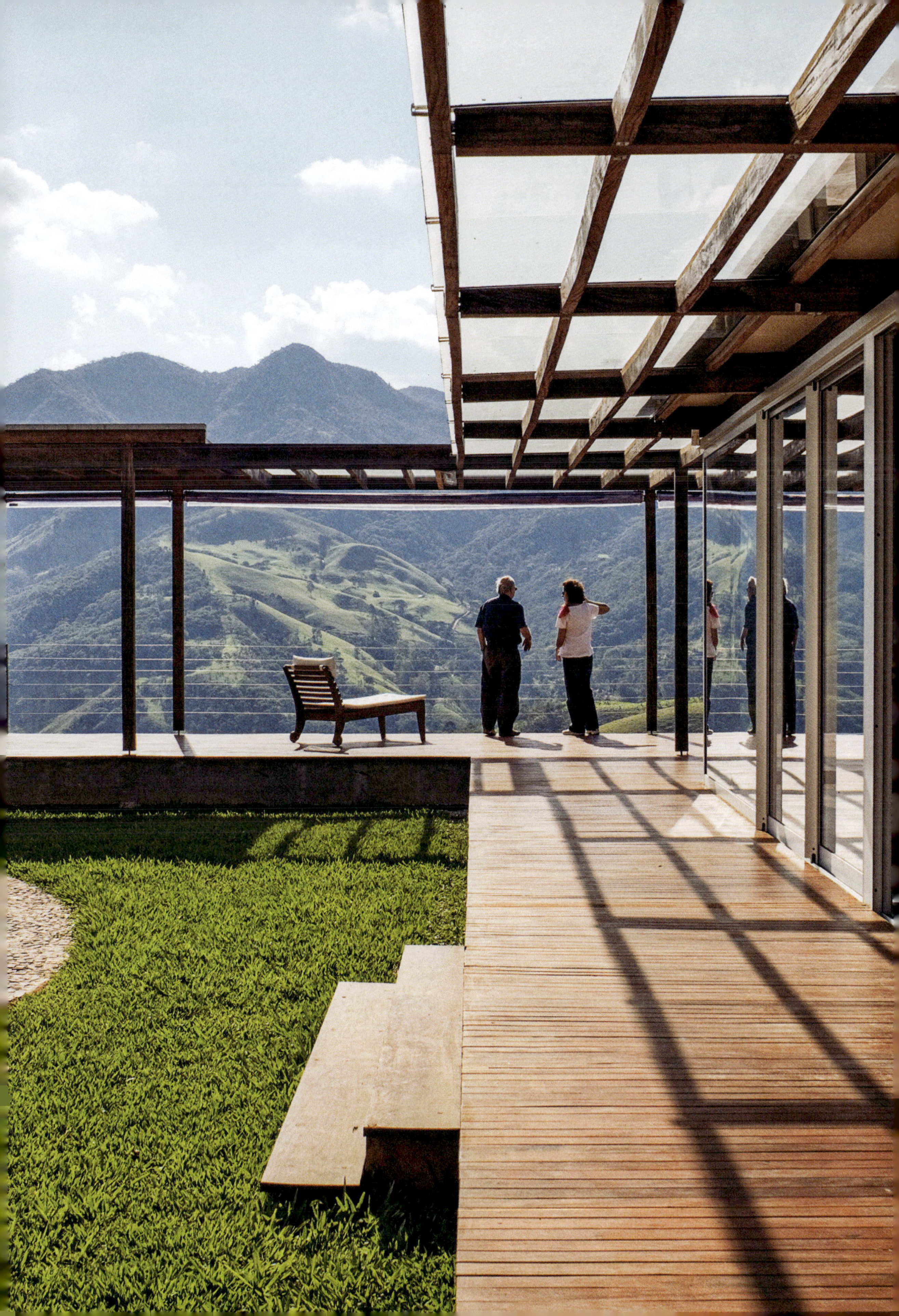

32

A. Planta térreo
B. Elevação
C. Corte longitudinal I
D. Corte longitudinal II

0 1   5m
1:300

A.

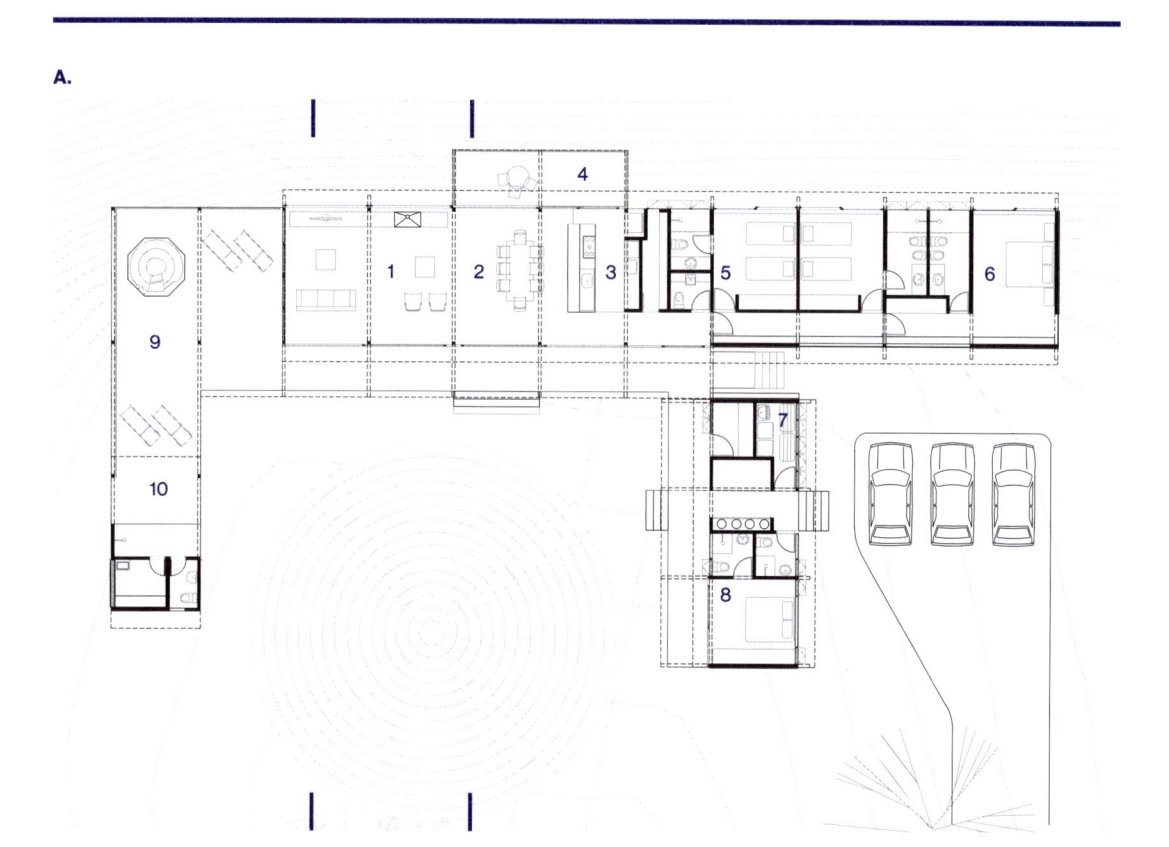

B.

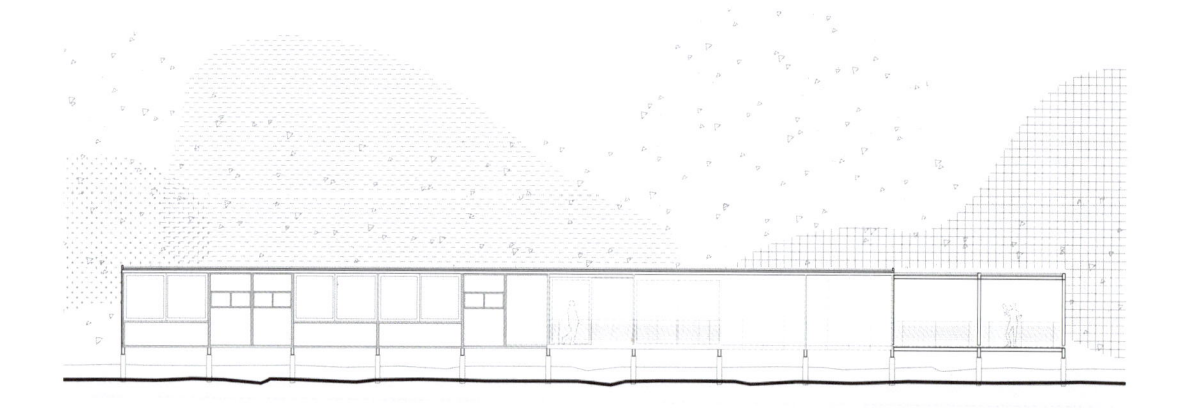

1. Estar	5. Suíte	8. Suíte	
2. Jantar	6. Suíte máster	hóspedes	
3. Cozinha	7. Área de	9. Spa	
4. Varanda	serviço	10. Sauna	

0   1   2m

1:100

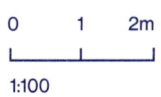

C.

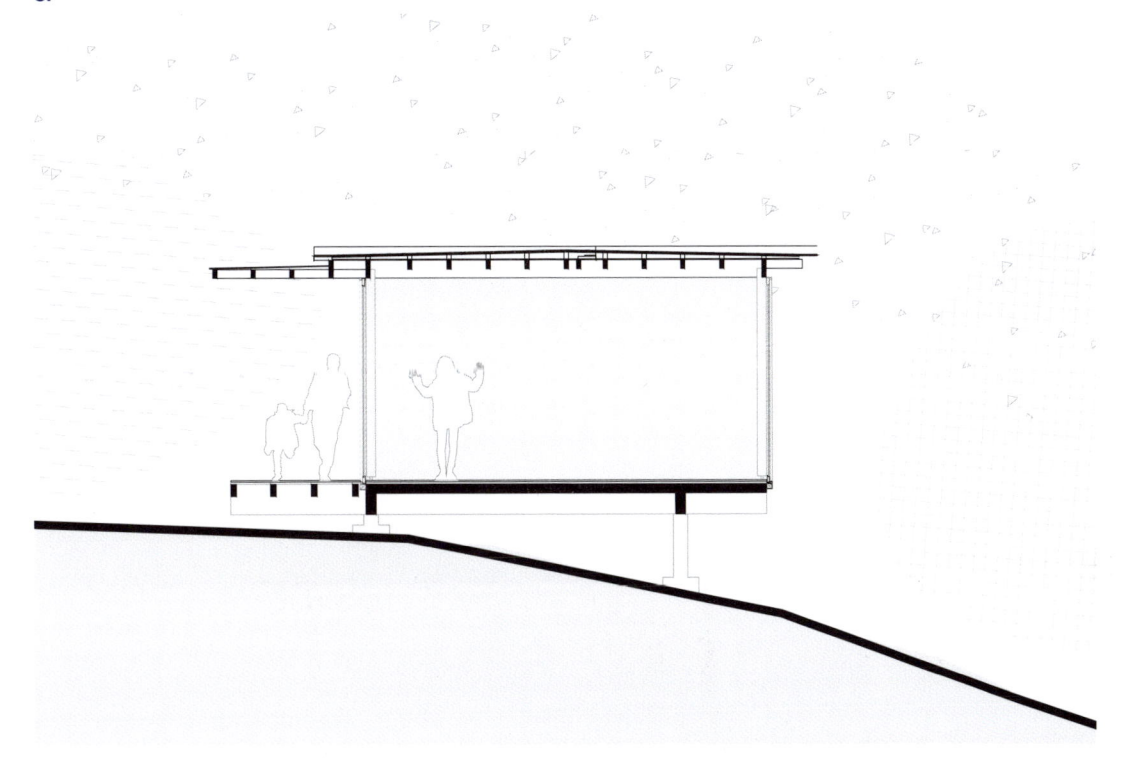

D.

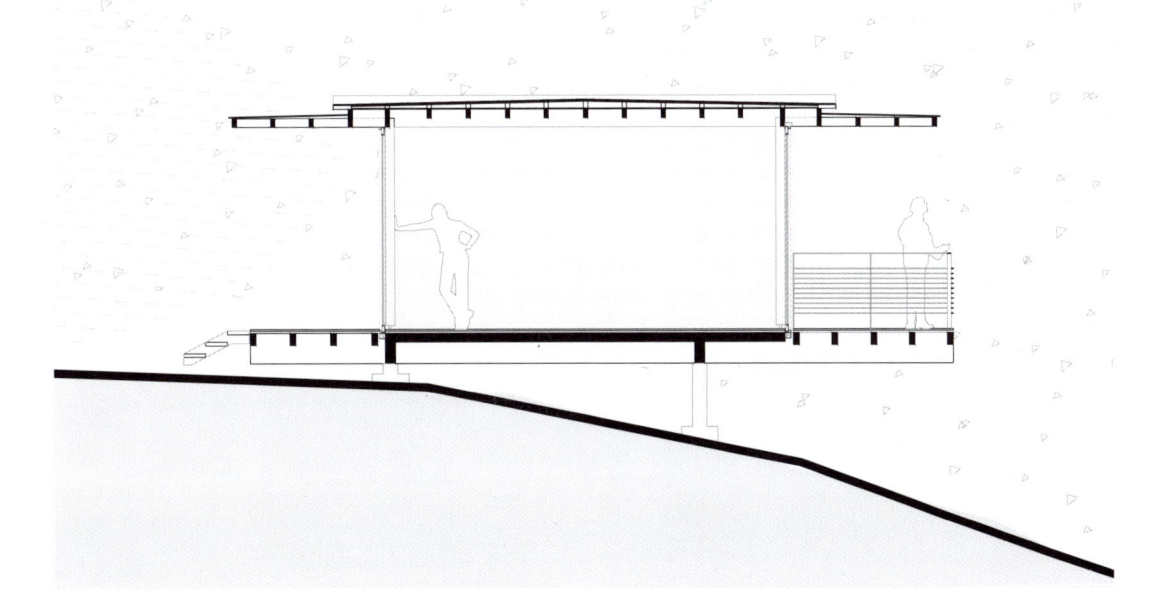

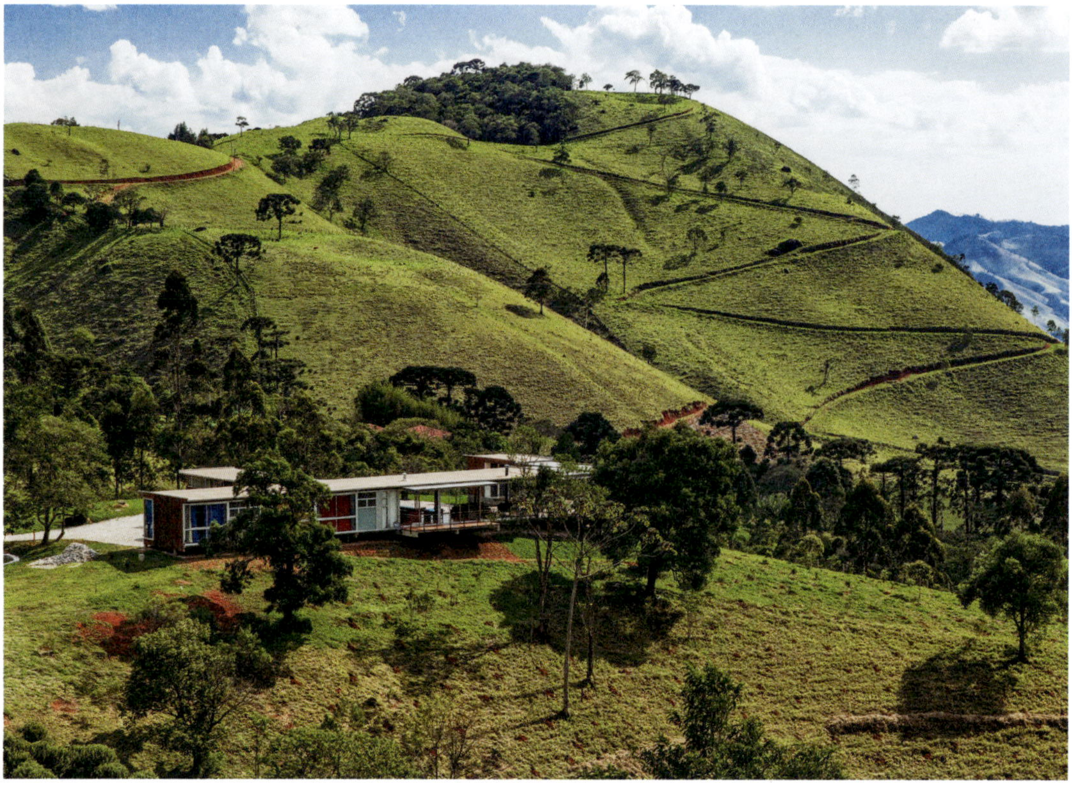

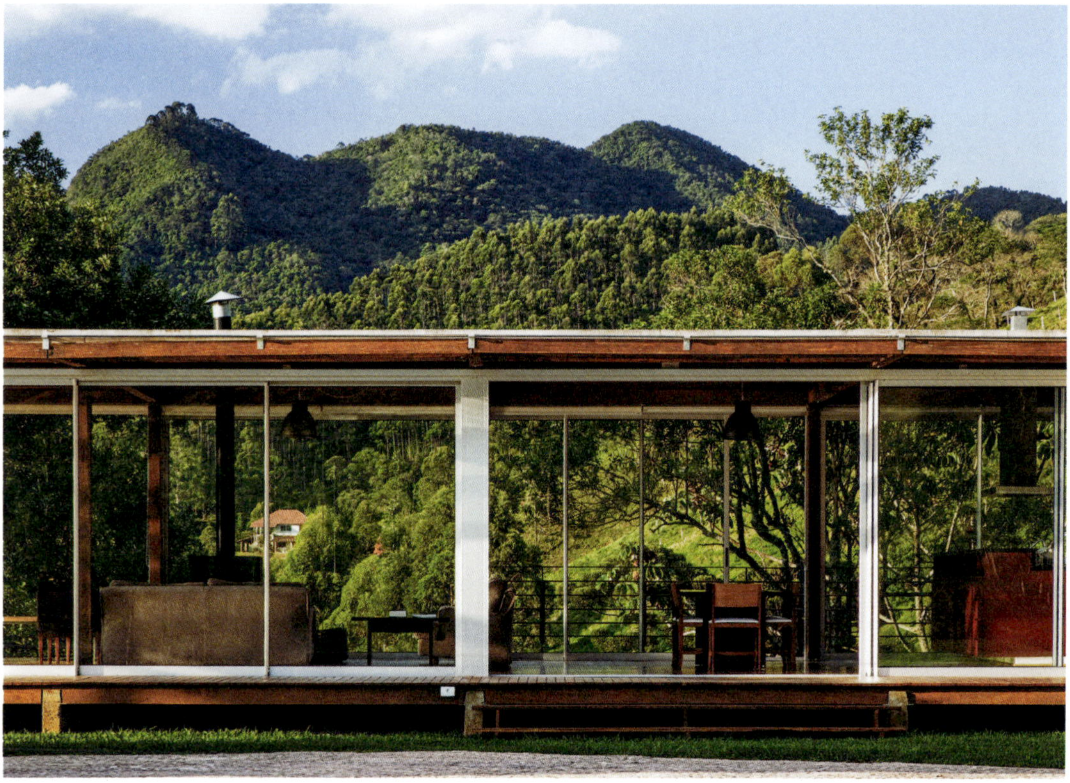

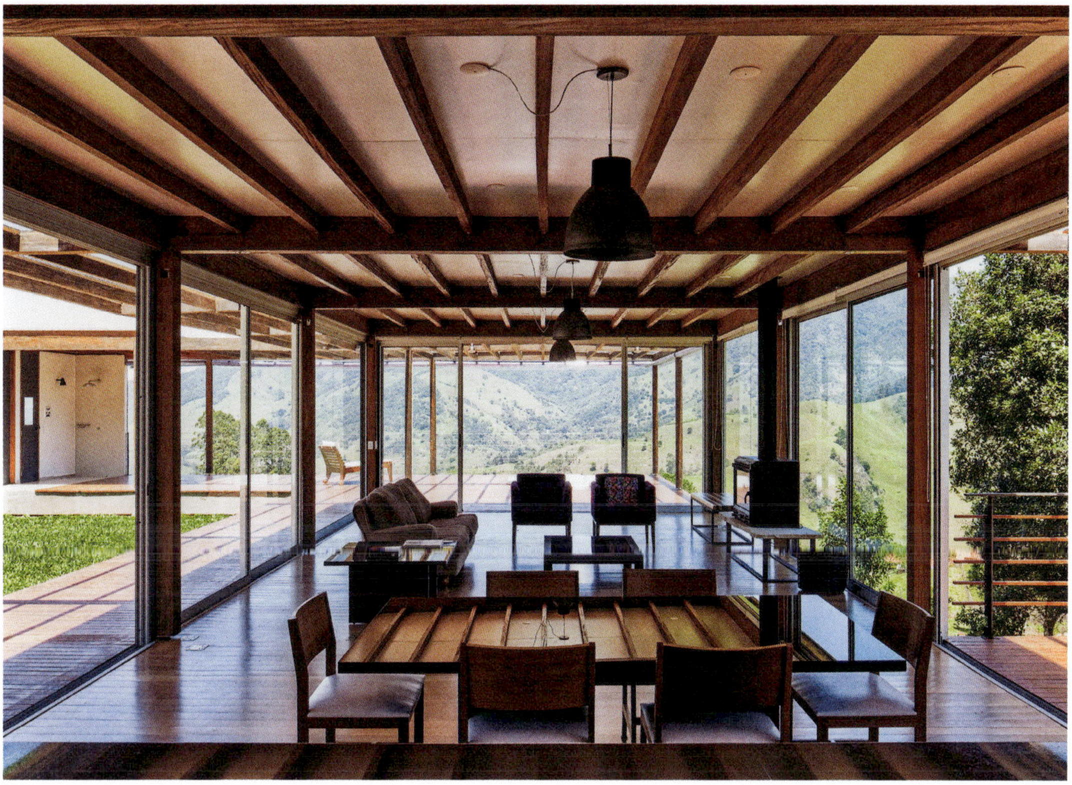

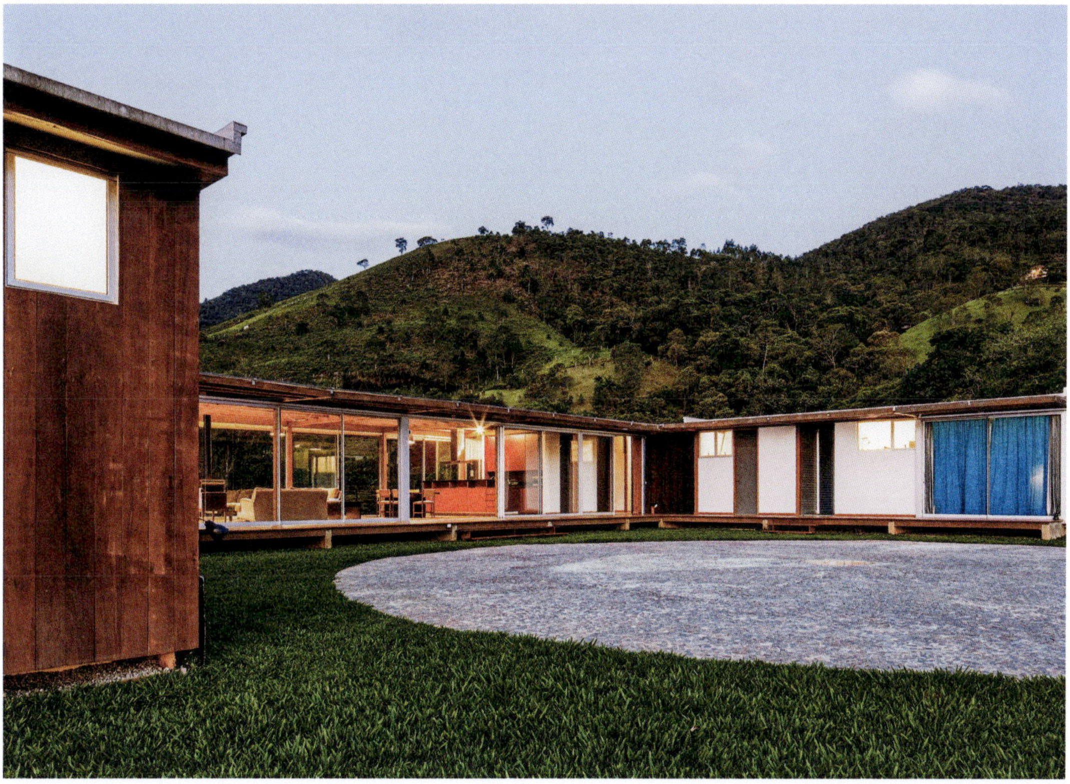

E. Detalhe varanda

F. Modelo 3D do projeto

E.

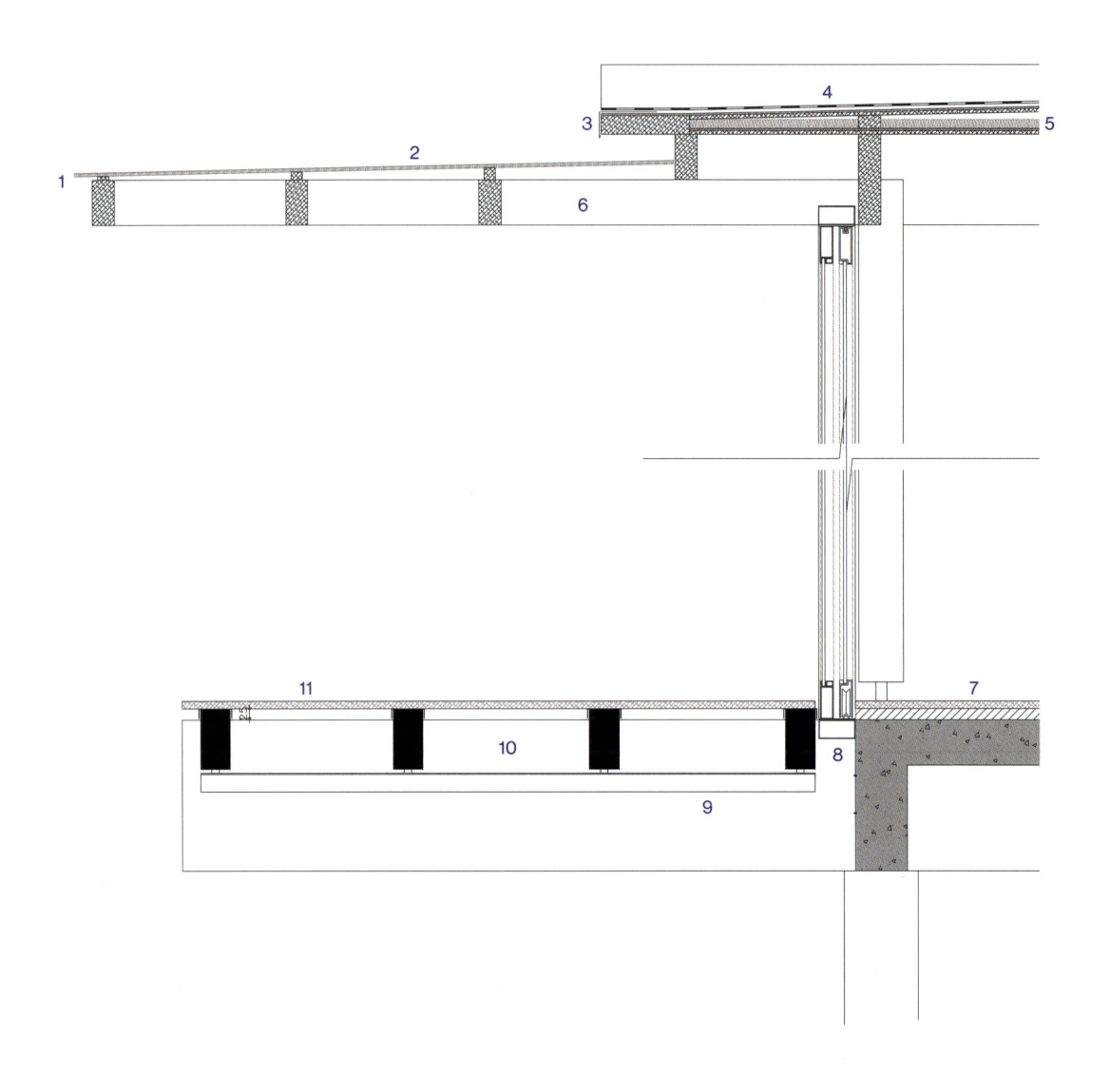

1. Pingadeira
2. Cobertura de vidro temperado
3. Rufo
4. Manta
5. Isolante termoacústico
6. Viga de arremate
7. Assoalho de madeira
8. Perfil metálico para sustentação do caixilho
9. Apoio de vigas com cantoneira de alumínio
10. Viga de concreto
11. Deck de madeira

F.

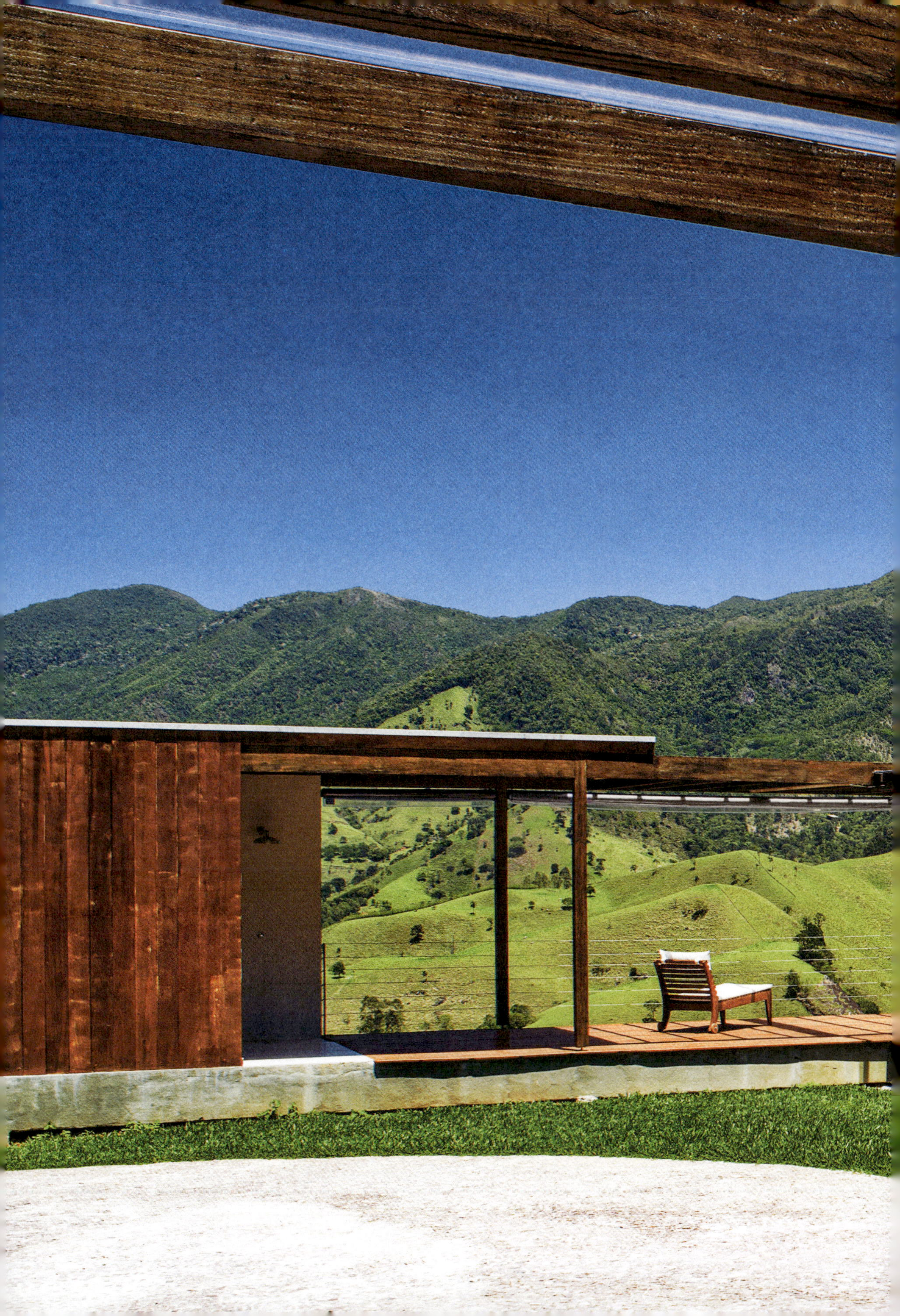

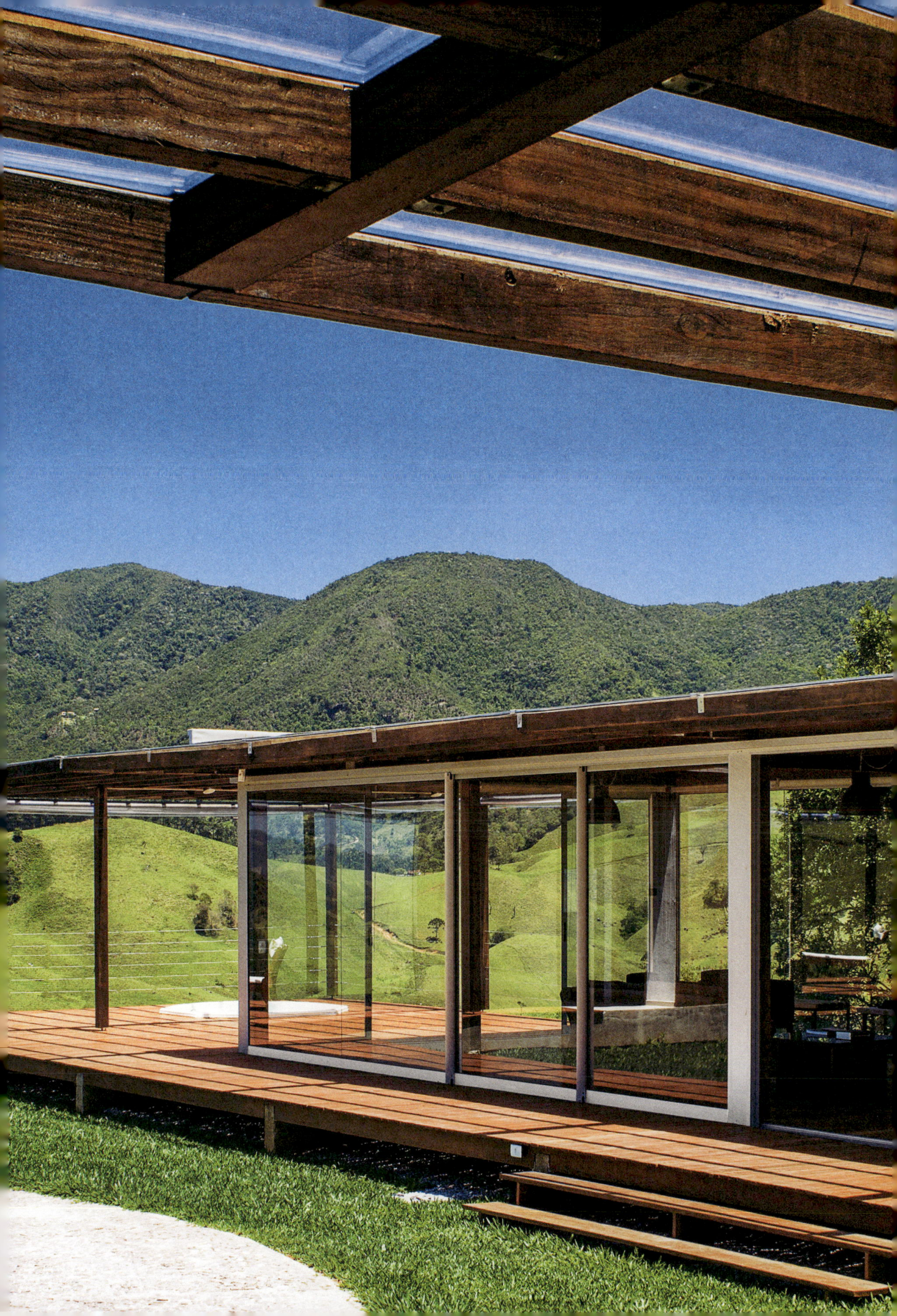

CASA EM PIRACAIA

PIRACAIA, SP, 2012-2015

A residência em Piracaia desenvolve-se a partir de um recorte no amplo terreno de 36.600 m² com inclinação constante de 13%, propiciando a inserção de um embasamento em concreto que abriga garagem, serviços e áreas técnicas.

Sobre esse embasamento desenvolvem-se as áreas social e íntima da casa, num nível único, elevado do terreno natural.

A estrutura metálica da casa é pautada por dezessete módulos de 3,80 metros que ora definem um quarto, ora abrigam dois banheiros, ora se unem em espaços mais amplos, como a varanda coberta e as salas de jantar e estar.

A grande cobertura de duas águas, de telha metálica sanduíche, acomoda-se sobre essa estrutura, definindo diferentes alturas para os ambientes e permitindo ventilação sobre o forro das áreas íntimas, composto de placas de MDF pré-pintado sobre barrotes de madeira.

Quartos e banheiros são protegidos por muxarabis de madeira que conformam as baias em frente aos banheiros e as portas camarão nos quartos.

Nas salas o pé-direito duplo é garantido pela inserção de painéis de policarbonato alveolar entre os vãos da estrutura metálica.

Grandes portas de correr de vidro permitem que as salas e a cozinha se misturem com a varanda coberta, dissolvendo os limites entre dentro e fora, que a casa insiste em romper, quer pela arquibancada em grama que conecta o piso principal ao terreno, quer pela borda infinita da piscina, que a une visualmente à represa onde o terreno termina.

Uma grande varanda coberta conecta as áreas íntima e social, permitindo que a paisagem atravesse a casa.

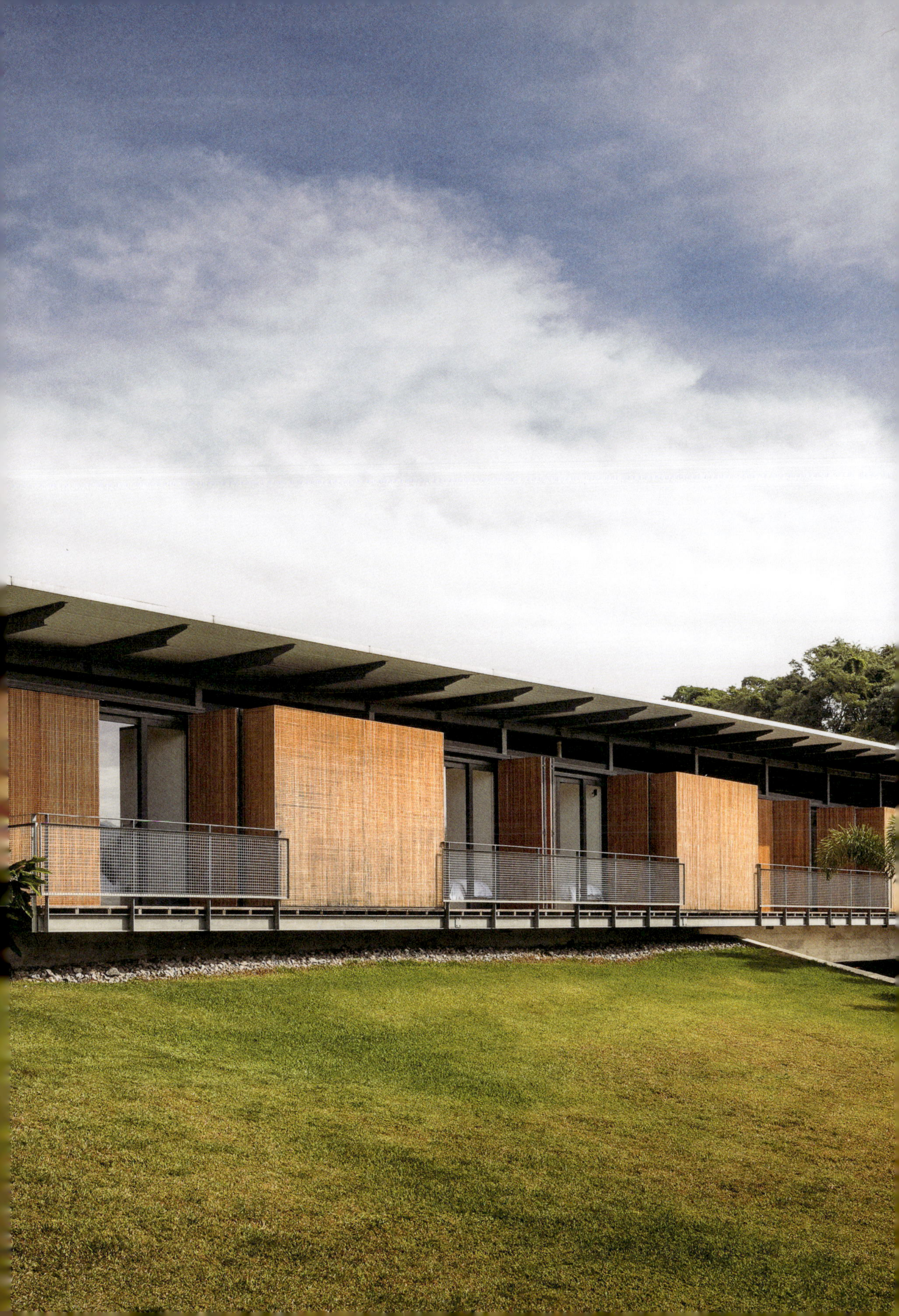

42

A. **Planta térreo**
B. **Corte transversal**
C. **Garagem**
D. **Elevação**

0 1 5m
1:300

A.

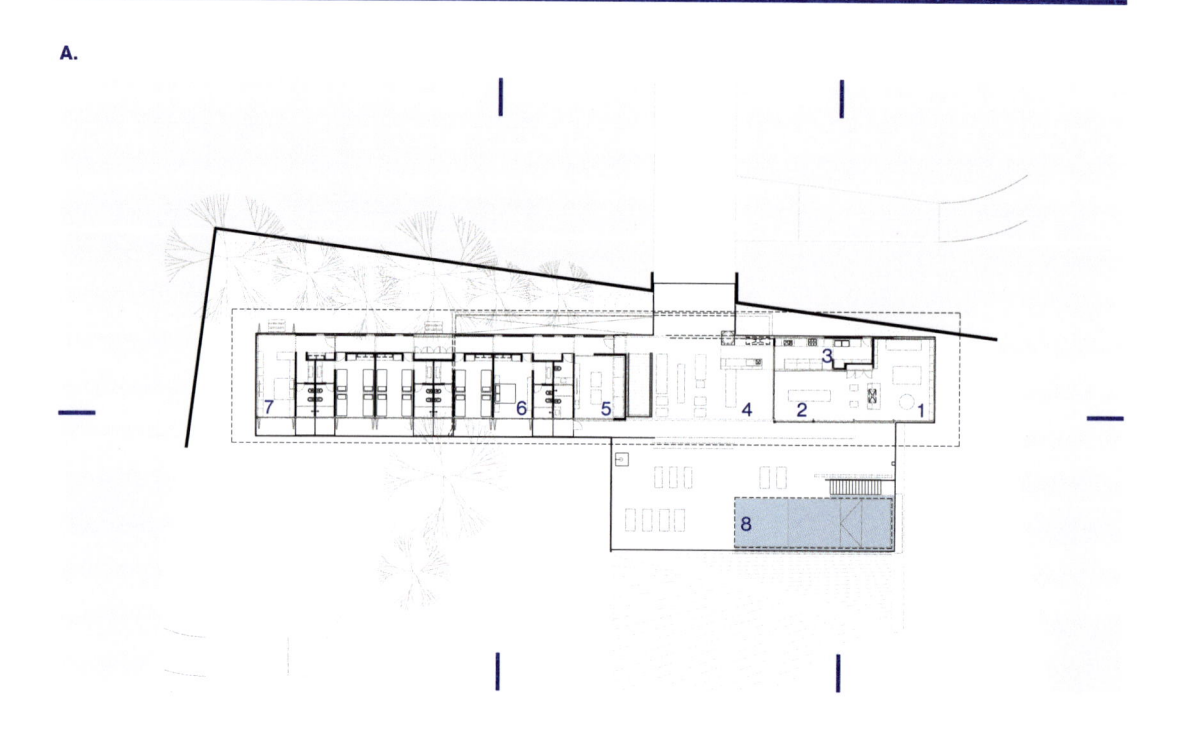

B.

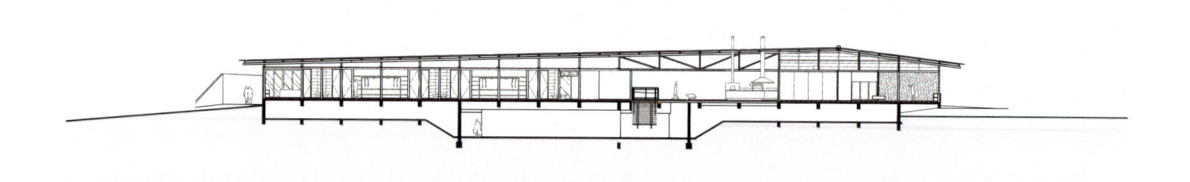

1. Estar
2. Jantar
3. Cozinha
4. Varanda
5. Sala de tv
6. Suíte
7. Suíte máster
8. Piscina

C.

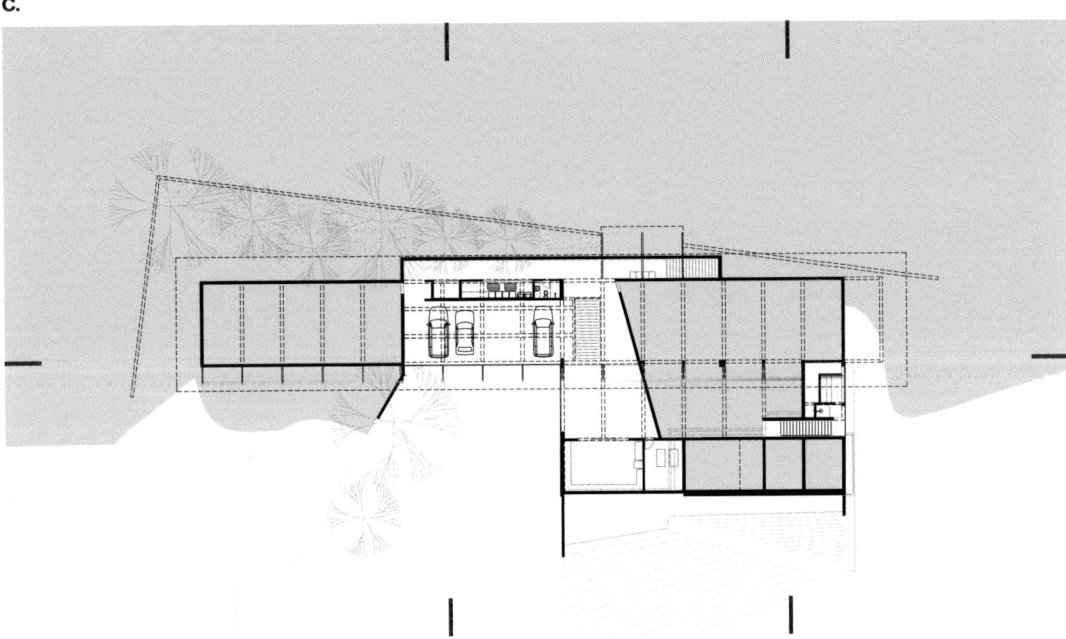

D.

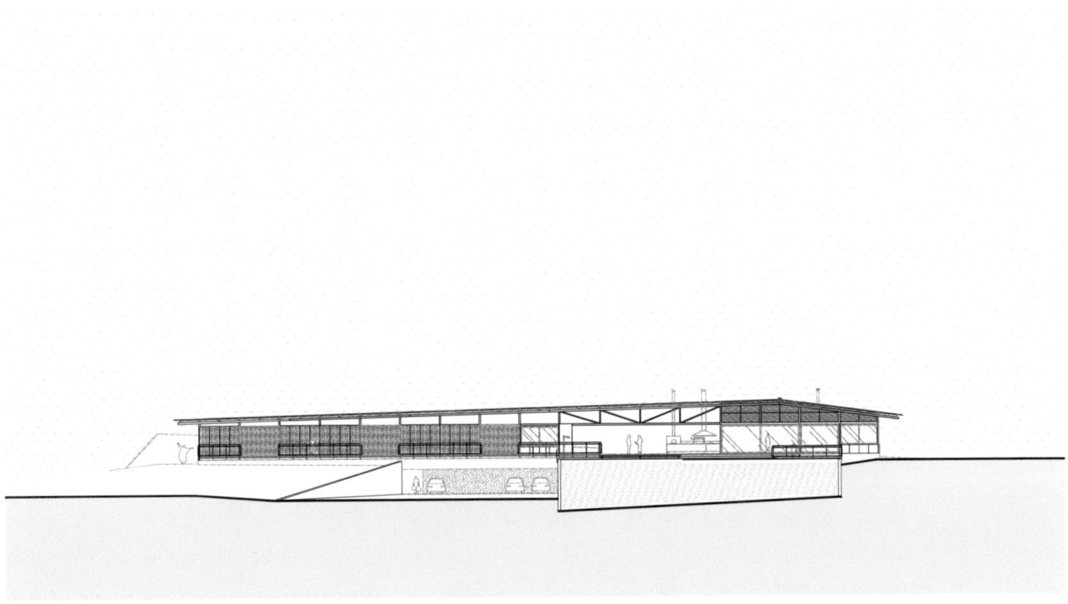

E. Corte longitudinal I
F. Corte longitudinal II

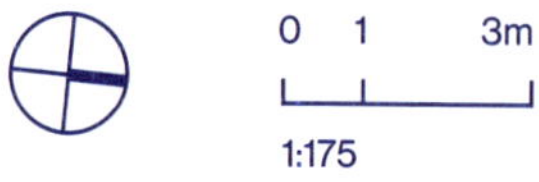

0 1   3m
1:175

E.

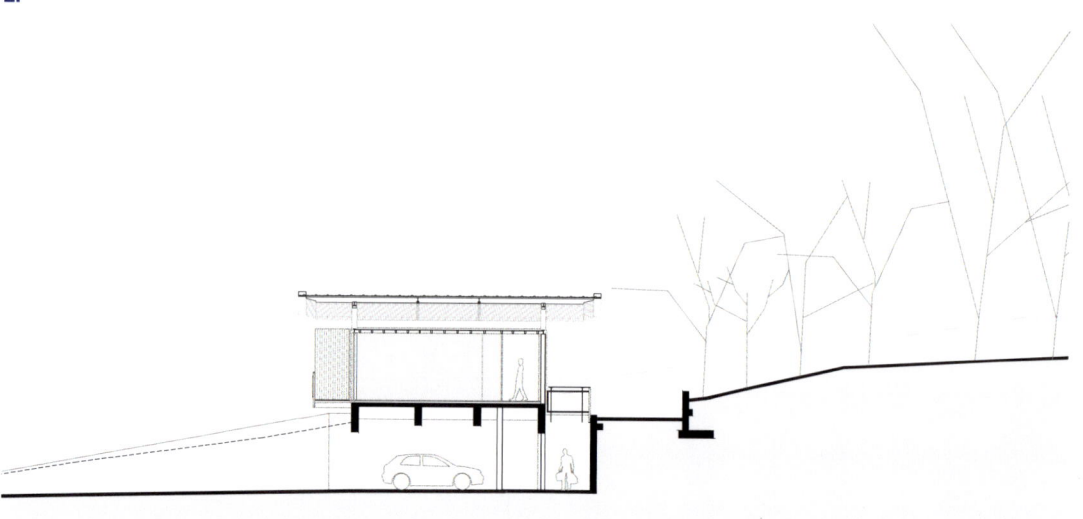

F.

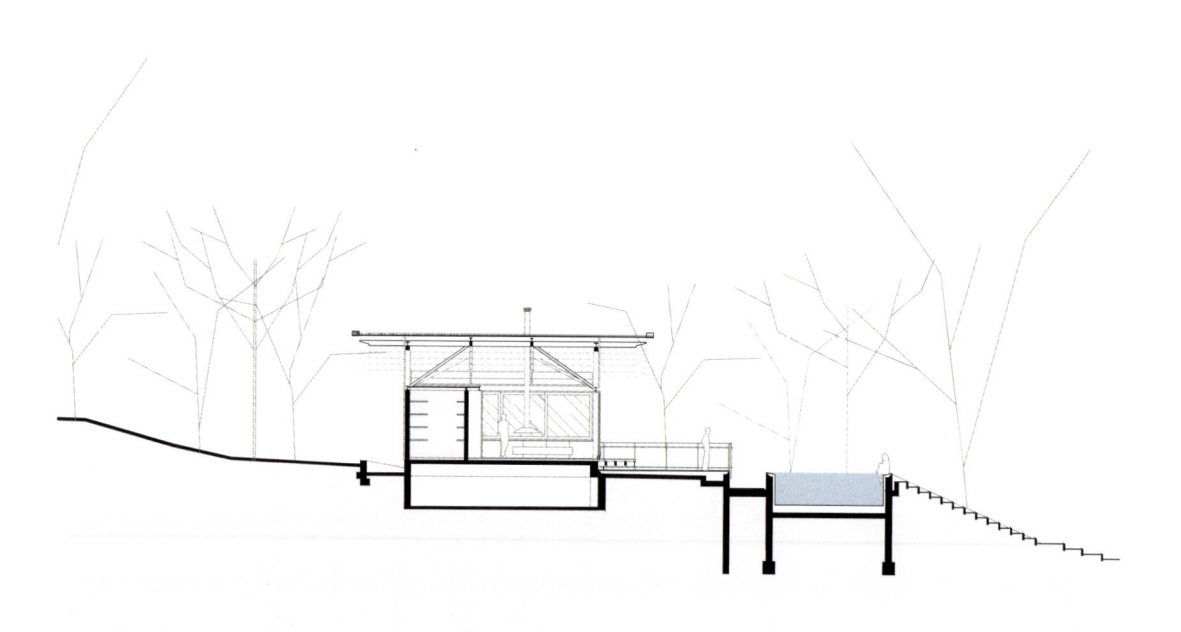

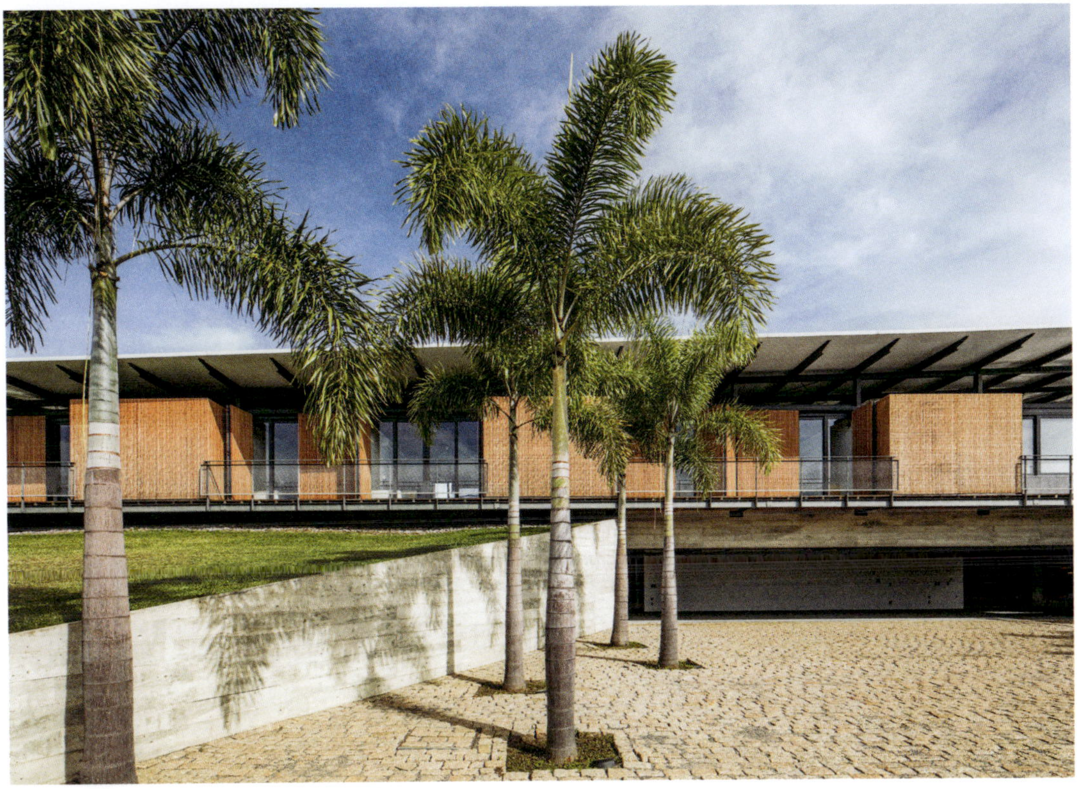

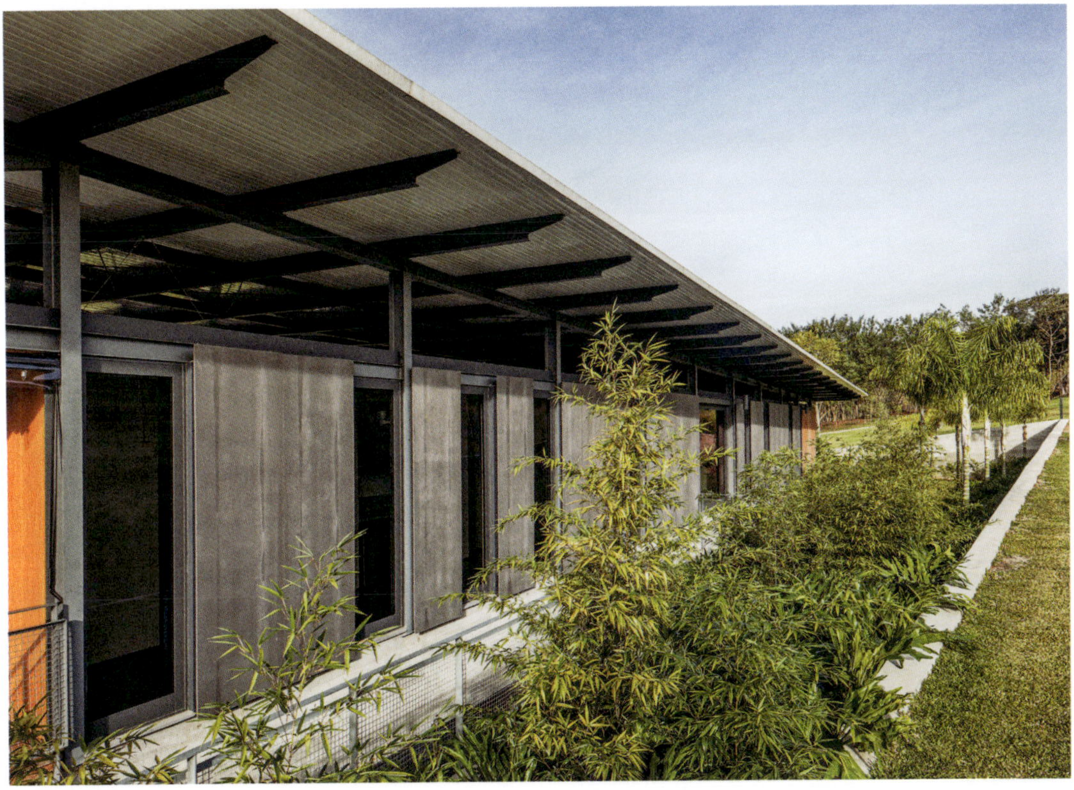

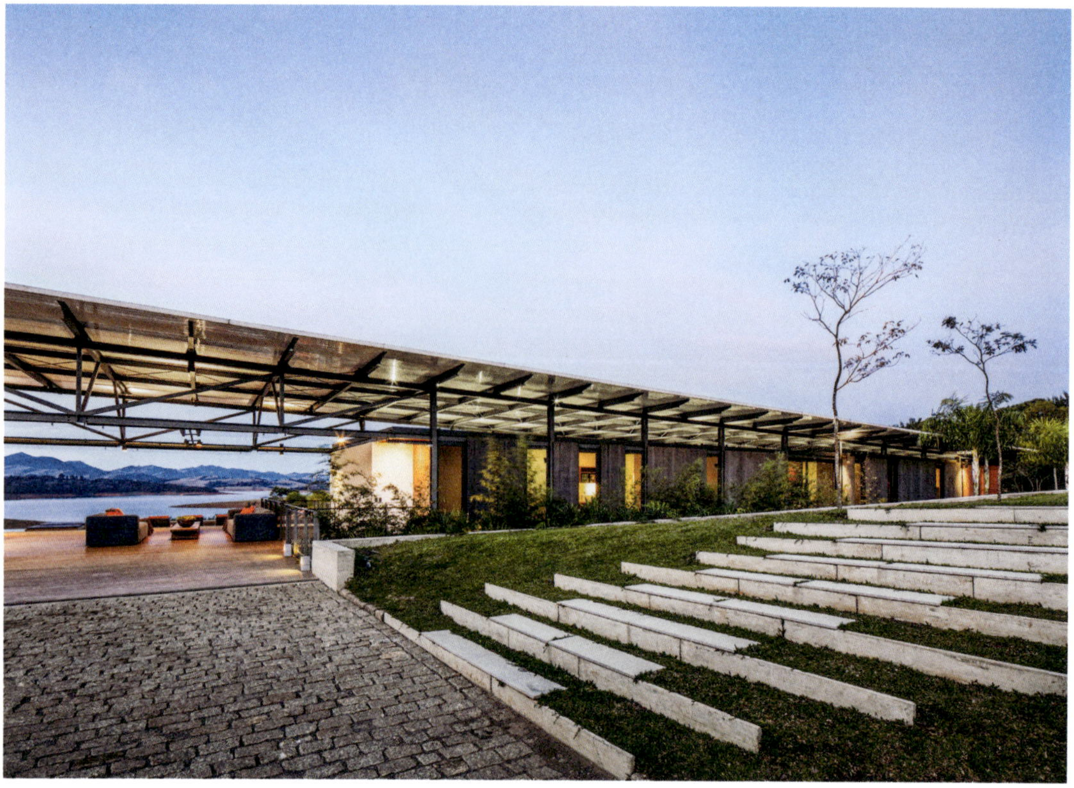

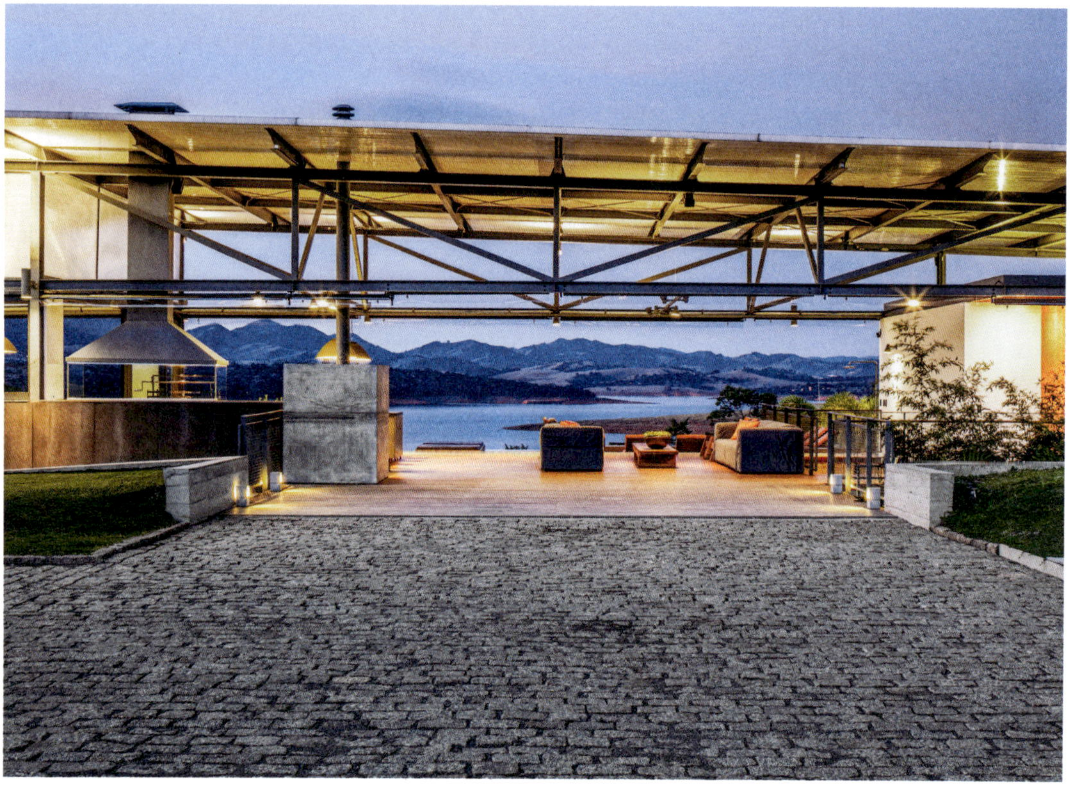

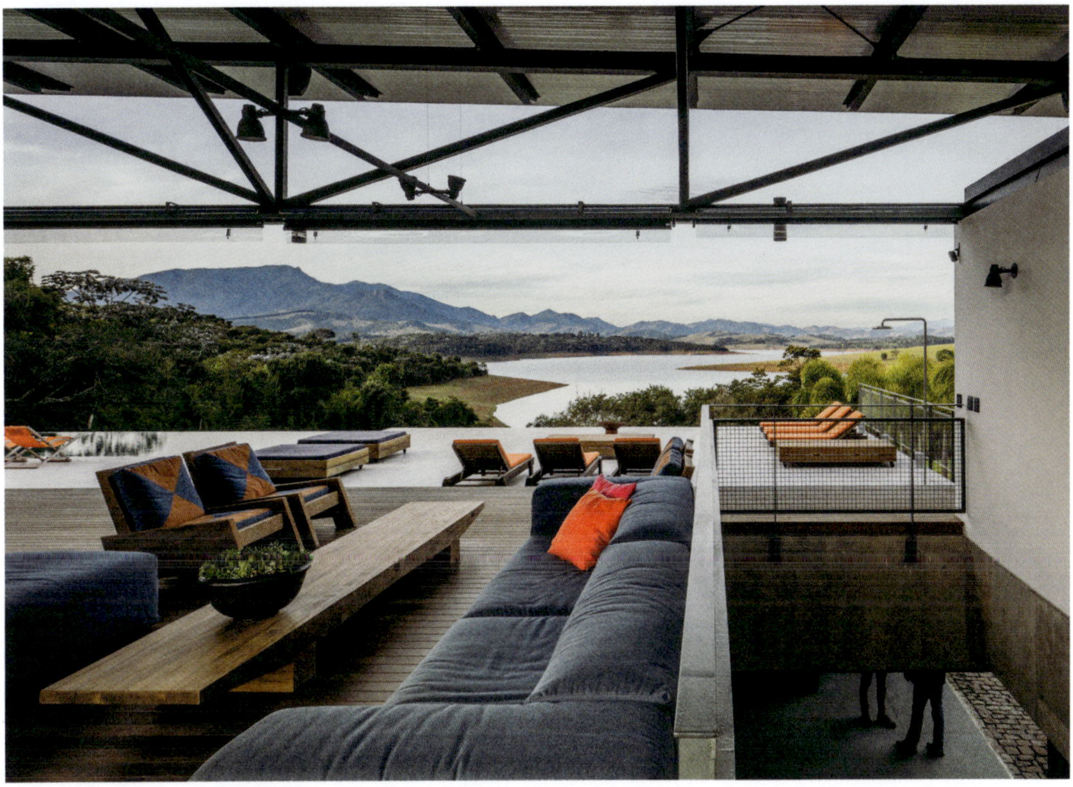

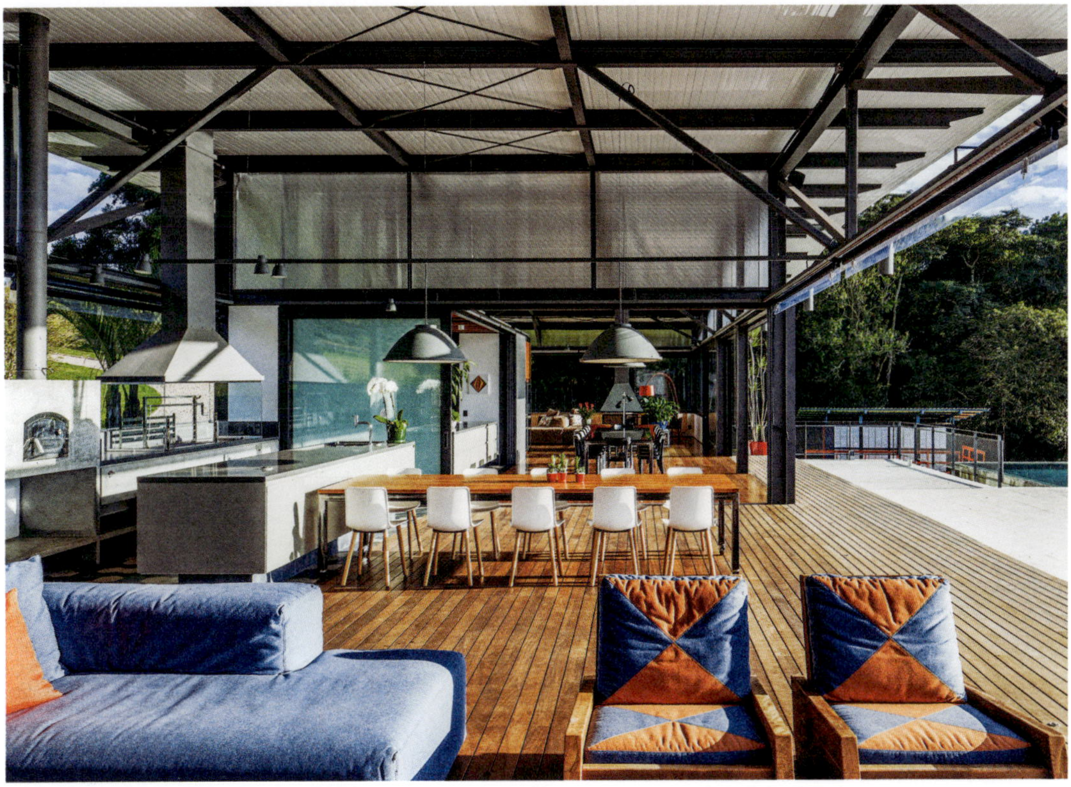

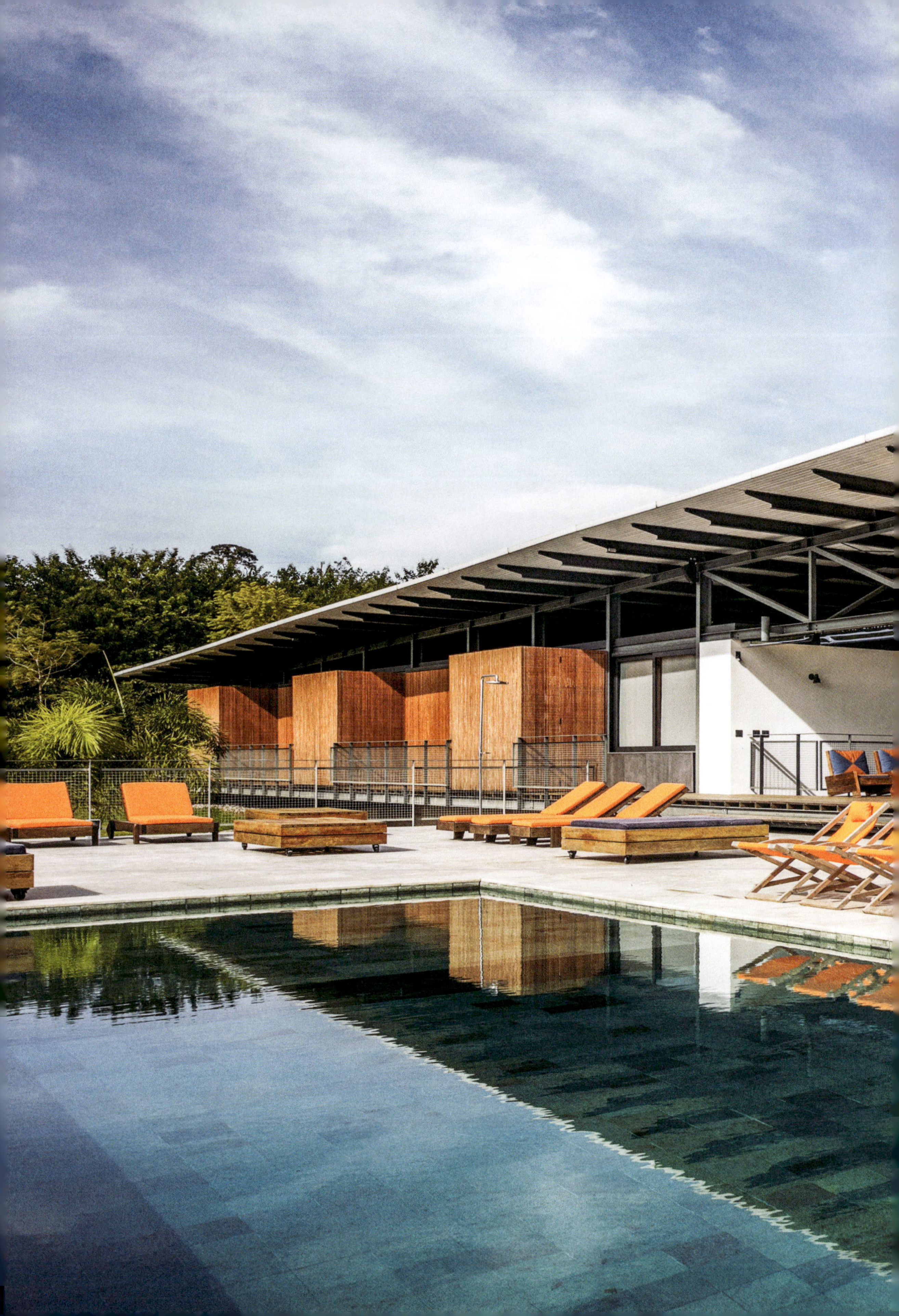

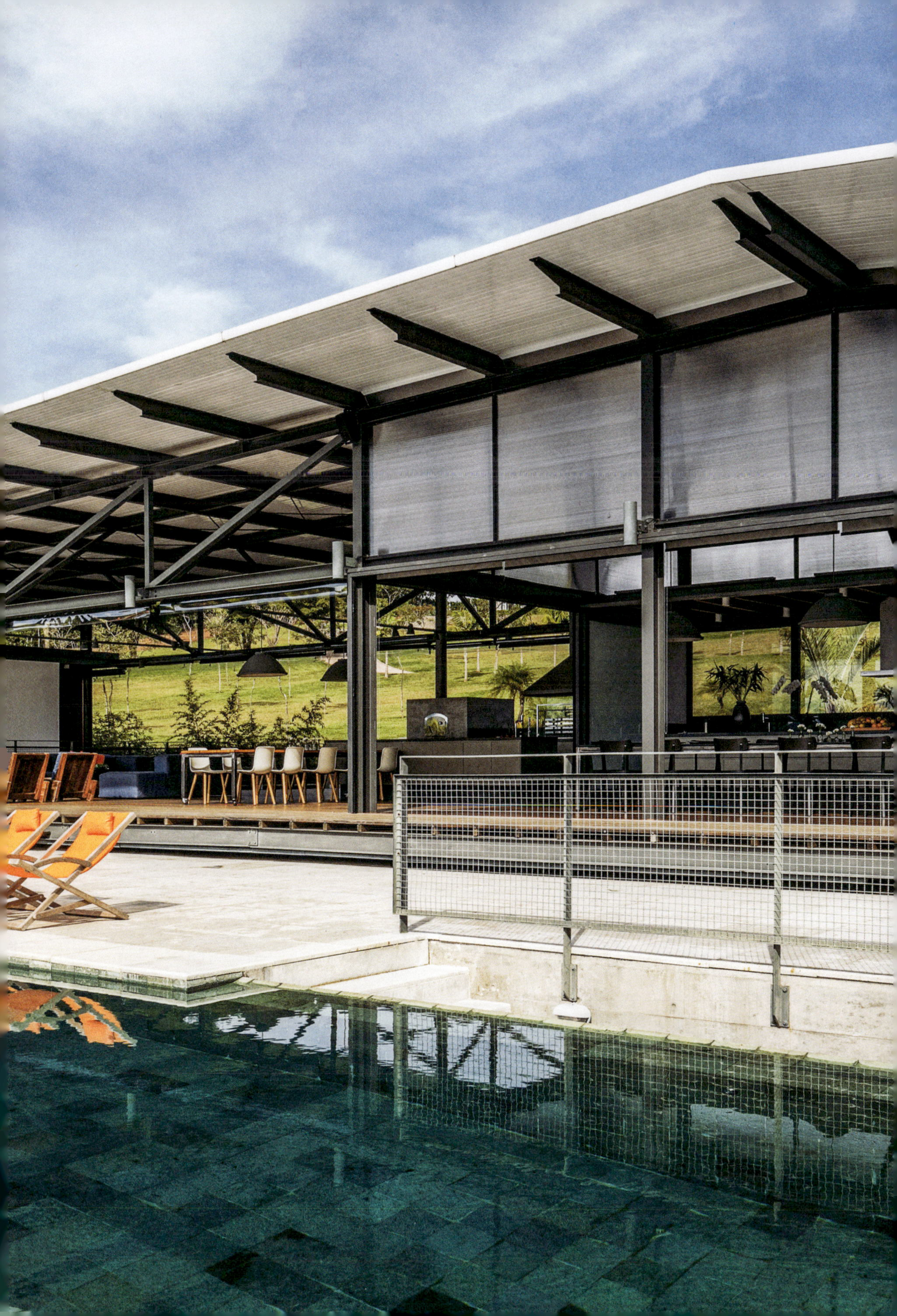

CASA NA PRAIA VERMELHA

UBATUBA, SP, 2014-2016

A casa da Praia Vermelha responde ao desafio de construir num morro de mata nativa intocada, numa das mais belas praias do litoral de São Paulo.

A Praia Vermelha do Sul se destaca não só pela sua beleza natural de Mata Atlântica nativa, cachoeiras, areia branca e mar calmo de águas verdes, mas também pela implantação das construções e ruas de acesso do condomínio, com respeito ao meio ambiente, sem casas na beira da praia, muros ou luzes excessivas.

O projeto tem uma estrutura suspensa, pré-fabricada de madeira laminada, sustentada por seis pilares e ancorada no terreno pela plataforma de concreto da piscina.

A construção divide-se em quatro partes fundamentais. A chegada tem um amplo espaço para veículos, depósito para coisas de praia, banheiro de serviço, chuveirão e lava-pés, além de aquecedores e máquinas de ar-condicionado. Nesse espaço, é possível observar todo o piso suspenso do primeiro pavimento e acessar toda a tubulação hidráulica ou elétrica, aparentes para manutenção. Tudo o mais acontece no nível superior, que consiste numa grande plataforma suspensa voltada para o morro.

Junto ao morro, a piscina e sua extensão de concreto. Em seguida, uma grande varanda linear na frente de toda a sala. A partir da varanda a plataforma passa a ser de madeira, com a forma de um grande quadrado composto de oito módulos retangulares. Quatro módulos formam o espaço contínuo do convívio, com sala de estar, sala de TV e cozinha.

Outros quatro módulos definem os quatro quartos voltados para a rua. A divisão desses espaços acontece com um grande móvel suspenso de madeira MDF: móvel dupla-face, ora servindo aos ambientes da sala, ora servindo aos quartos. Ou seja, a casa acontece toda no nível superior e voltada para o morro, com o espaço descoberto da piscina, a grande sala de convívio e, em seguida, os quatro quartos alinhados voltados para a rua. O acesso a esse espaço suspenso se dá por uma escada aberta.

Cobertura metálica termoacústica e laterais de telha translúcida de policarbonato alveolar cobrem e envolvem a casa como uma casca estanque.

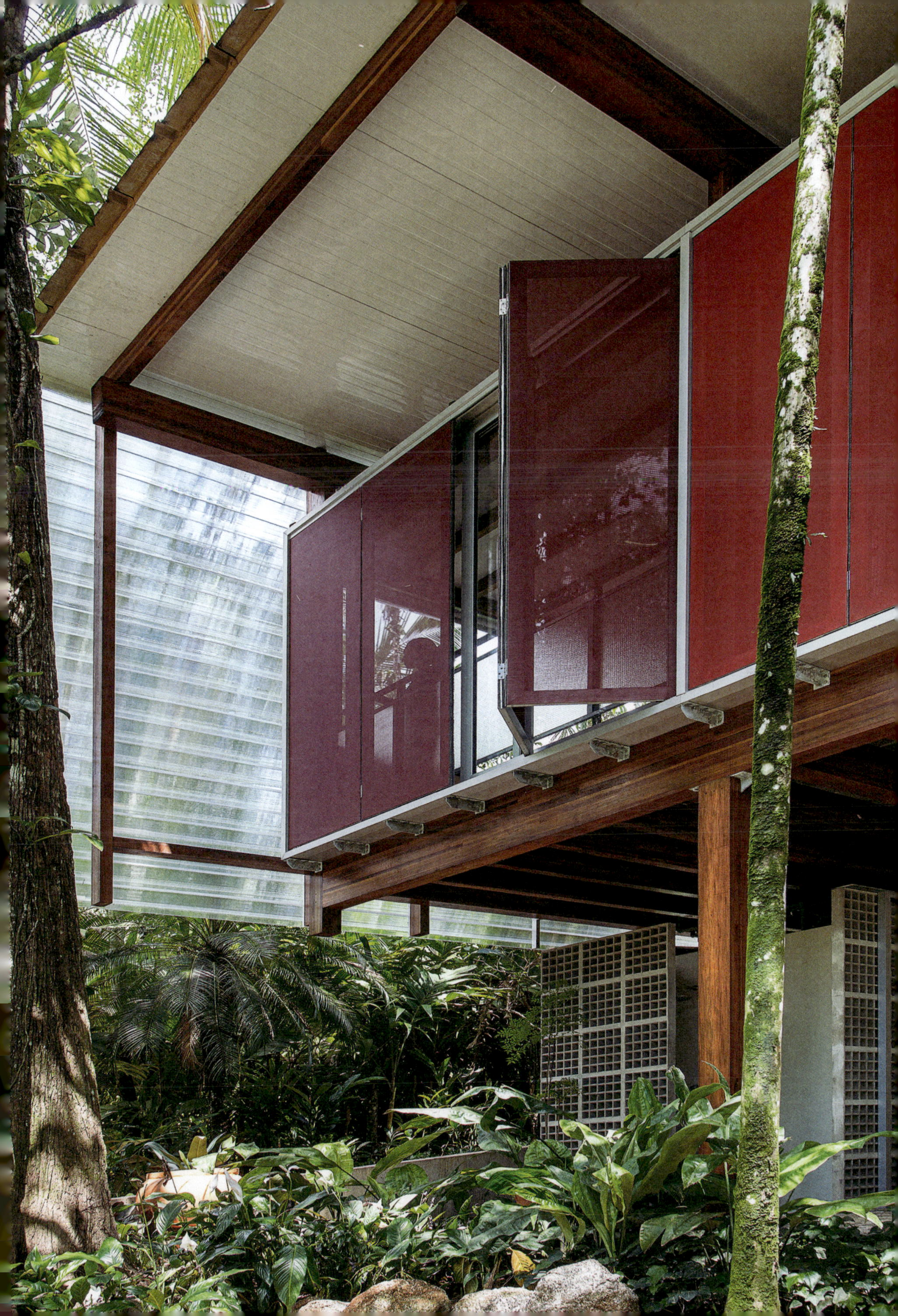

52

A. Planta térreo
B. Corte longitudinal
C. Garagem
D. Elevação

1:250

A.

B.

1. Estar
2. Jantar
3. Suíte
4. Suíte máster
5. Área de serviço
6. Garagem
7. Depósito
8. Piscina

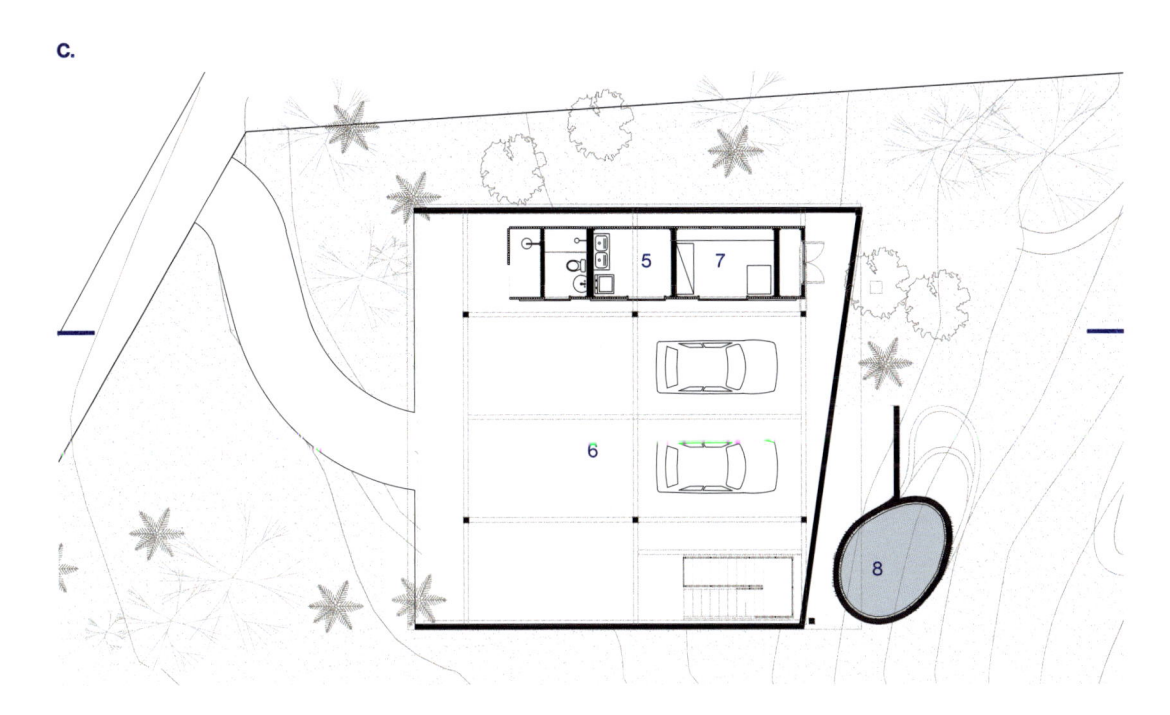

C.

D.

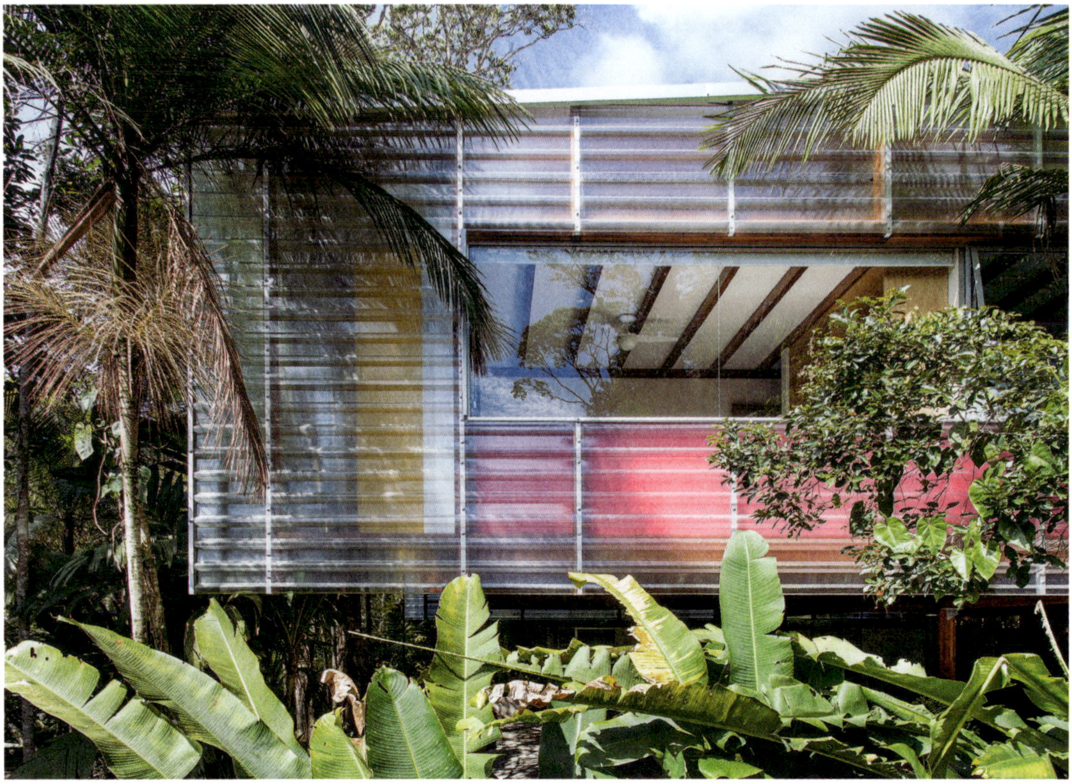

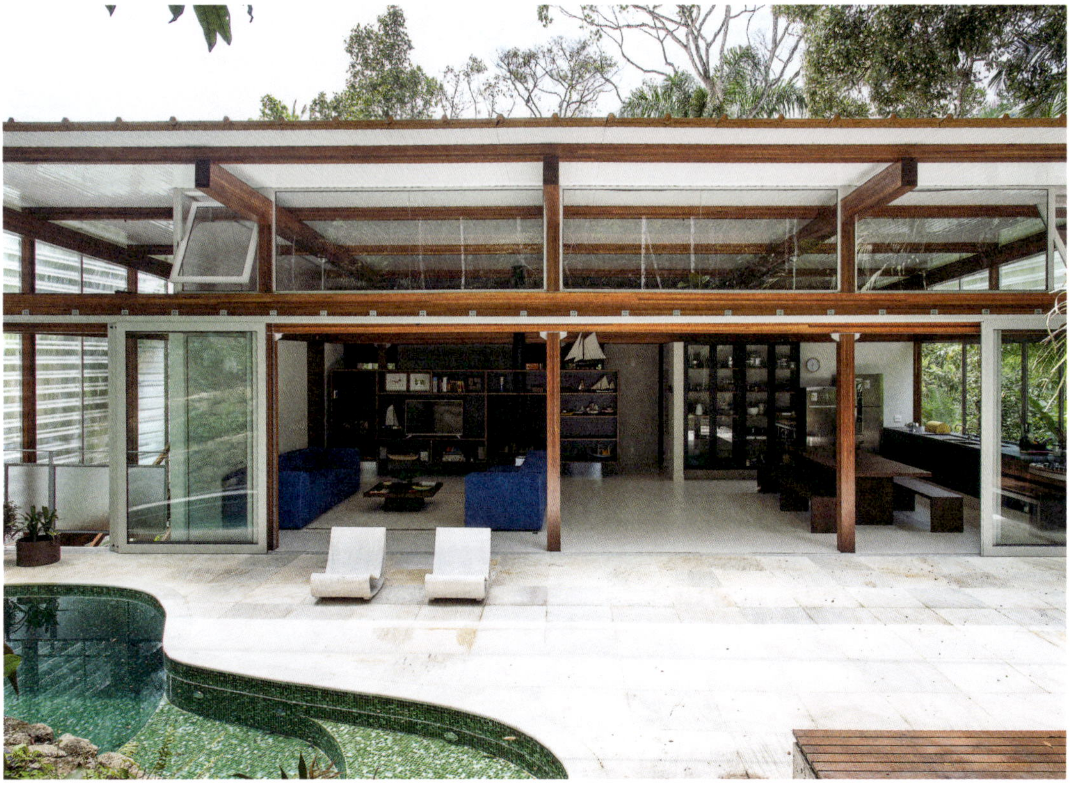

E. Isométrica

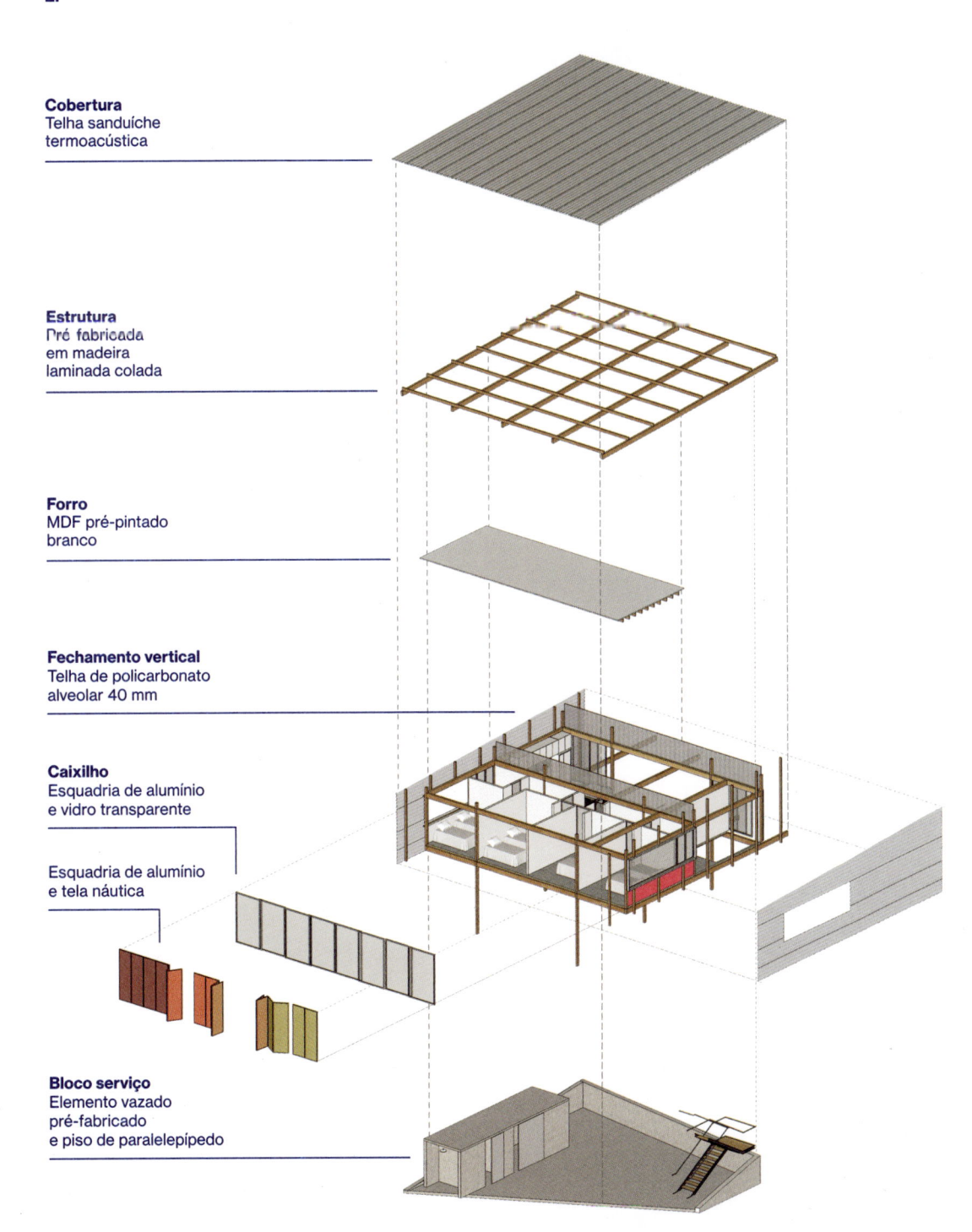

E.

Cobertura
Telha sanduíche
termoacústica

Estrutura
Pré fabricada
em madeira
laminada colada

Forro
MDF pré-pintado
branco

Fechamento vertical
Telha de policarbonato
alveolar 40 mm

Caixilho
Esquadria de alumínio
e vidro transparente

Esquadria de alumínio
e tela náutica

Bloco serviço
Elemento vazado
pré-fabricado
e piso de paralelepípedo

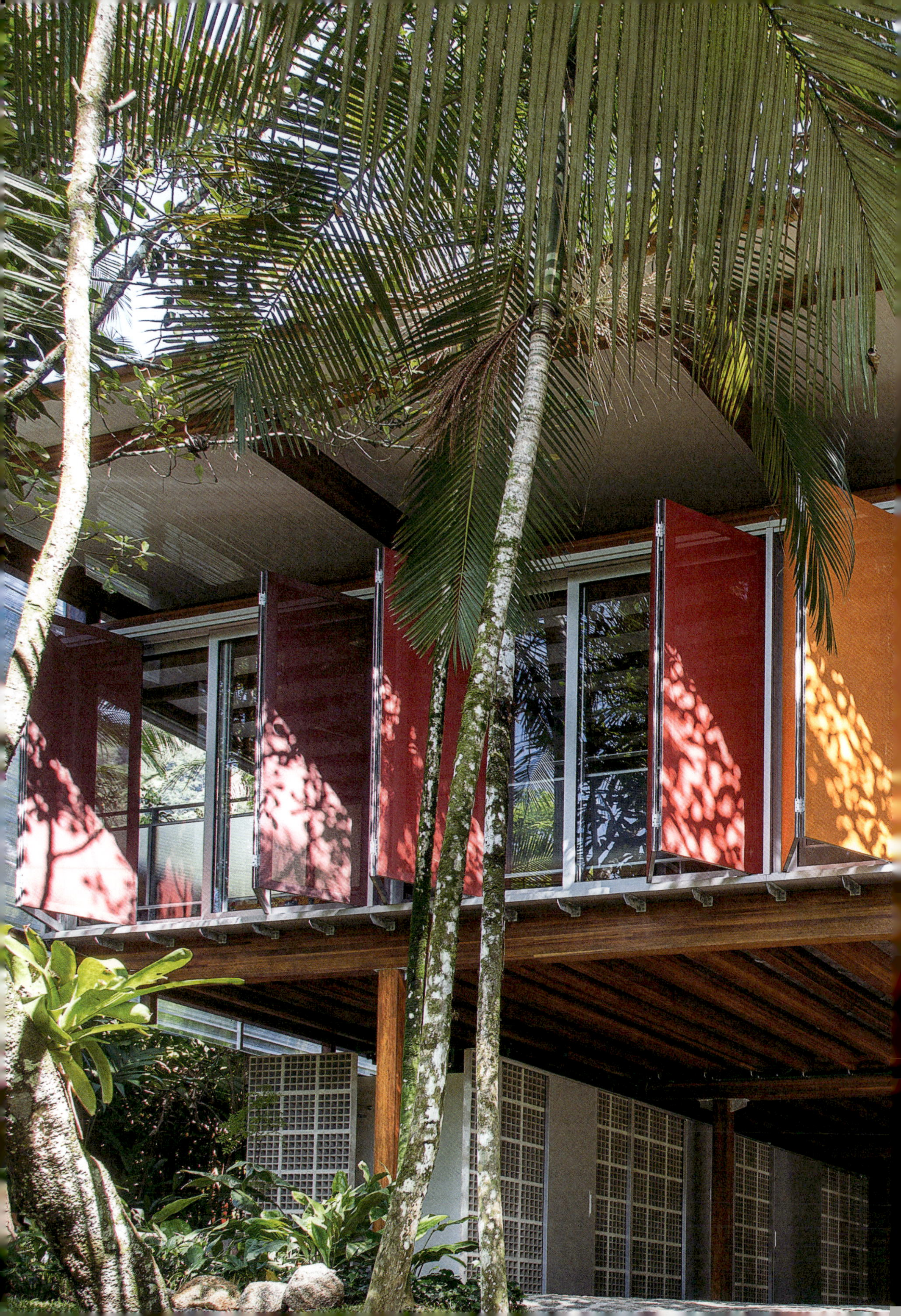

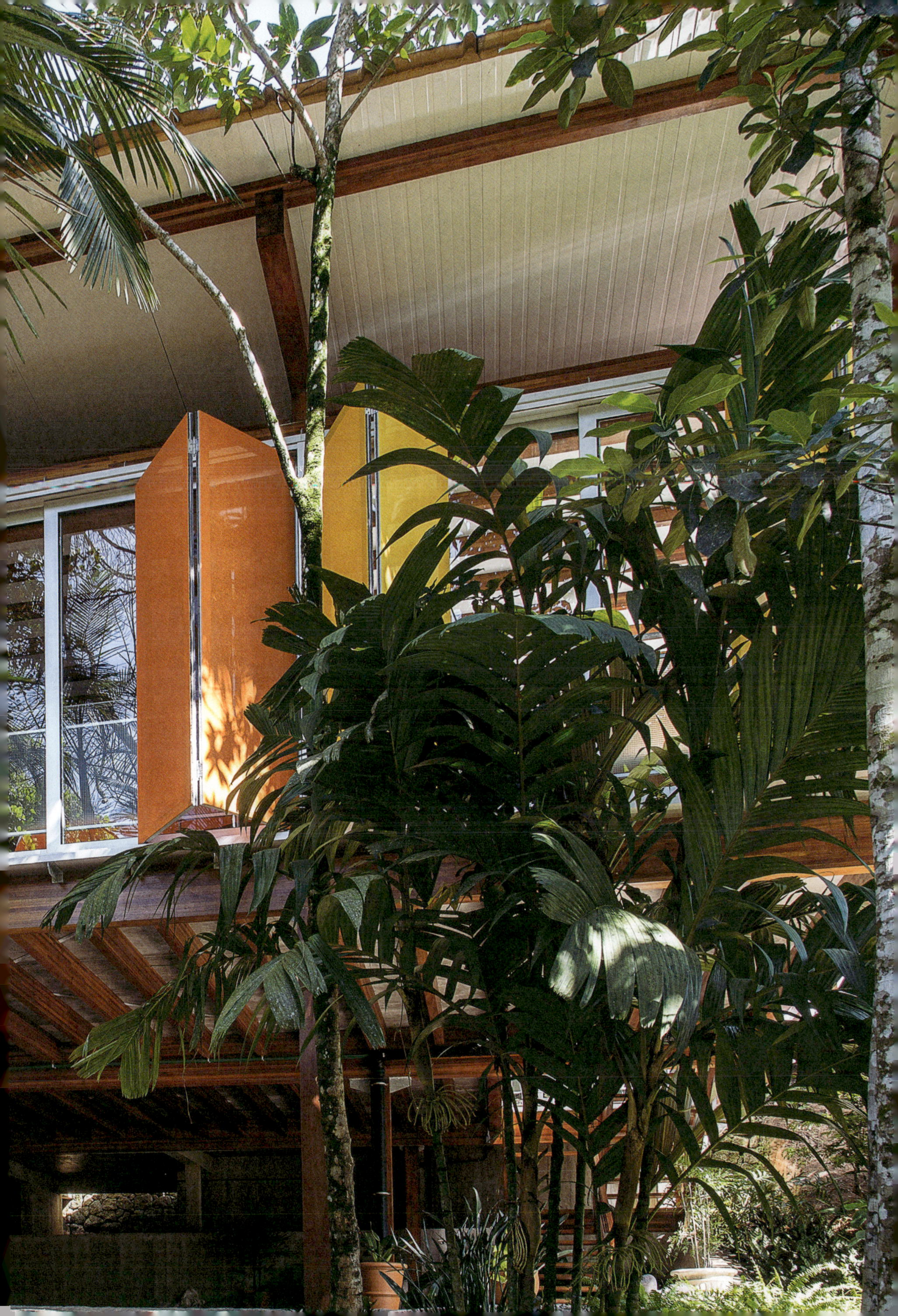

EDIFÍCIO JOÃO MOURA

SÃO PAULO, SP, 2009-2012

O projeto apresenta algumas questões importantes tanto no aspecto urbano quanto nos aspectos da qualidade do espaço e da otimização do terreno.

Tira partido da topografia, aproveita a posição estratégica do terreno em relação à cidade e coloca a arquitetura no papel principal para valorizar o metro quadrado construído e conferir novo aspecto ao espaço de trabalho corporativo.

O terreno está localizado na rua João Moura, no fundo do vale por onde passa a avenida Sumaré. A rua João Moura é importante ligação entre os bairros Vila Madalena e Pinheiros. Para quem passa na avenida Sumaré, o edifício tem uma presença marcante. Por esse motivo, buscou-se dar atenção especial à fachada lateral norte e entendê-la como um grande painel, composto de aberturas e de anteparos coloridos. Para quem passa pela rua João Moura, o pavimento de acesso está recuado dez metros do alinhamento frontal, o dobro do exigido, garantindo um respiro para a rua e destacando a recepção que avança em direção à rua.

O projeto também tira partido da topografia acidentada do terreno e acomoda a construção de forma sutil, dispensando movimento de terra ou escavações, inclusive para o subsolo.

O projeto determina a existência de dois espaços coletivos importantes: a entrada descrita anteriormente e o pavimento da praça de uso comum na cota do fundo do lote (mais doze metros). A praça é a continuidade do jardim do fundo e promove a ligação total do lote num único plano. O fundo do terreno está ligado à escadaria de acesso à rua Cristiano Viana.

Outra característica importante do projeto é a relação entre a área construída e a distribuição dos espaços e varandas. O projeto não utiliza o máximo do potencial construtivo permitido por lei e deixa a cargo da arquitetura a valorização das áreas construídas: os pés-direitos são amplos, com 2,7 metros abaixo do forro; as vigas são protendidas e chatas; os pilares são recuados da fachada; os fechamentos são independentes e as prumadas são periféricas e "pulverizadas". Essas características garantem grande flexibilidade de uso e qualidade espacial. O edifício também dispõe de varandas com diferentes dimensões, que qualificam os conjuntos e, como dito no início, conferem novo aspecto ao espaço de trabalho corporativo.

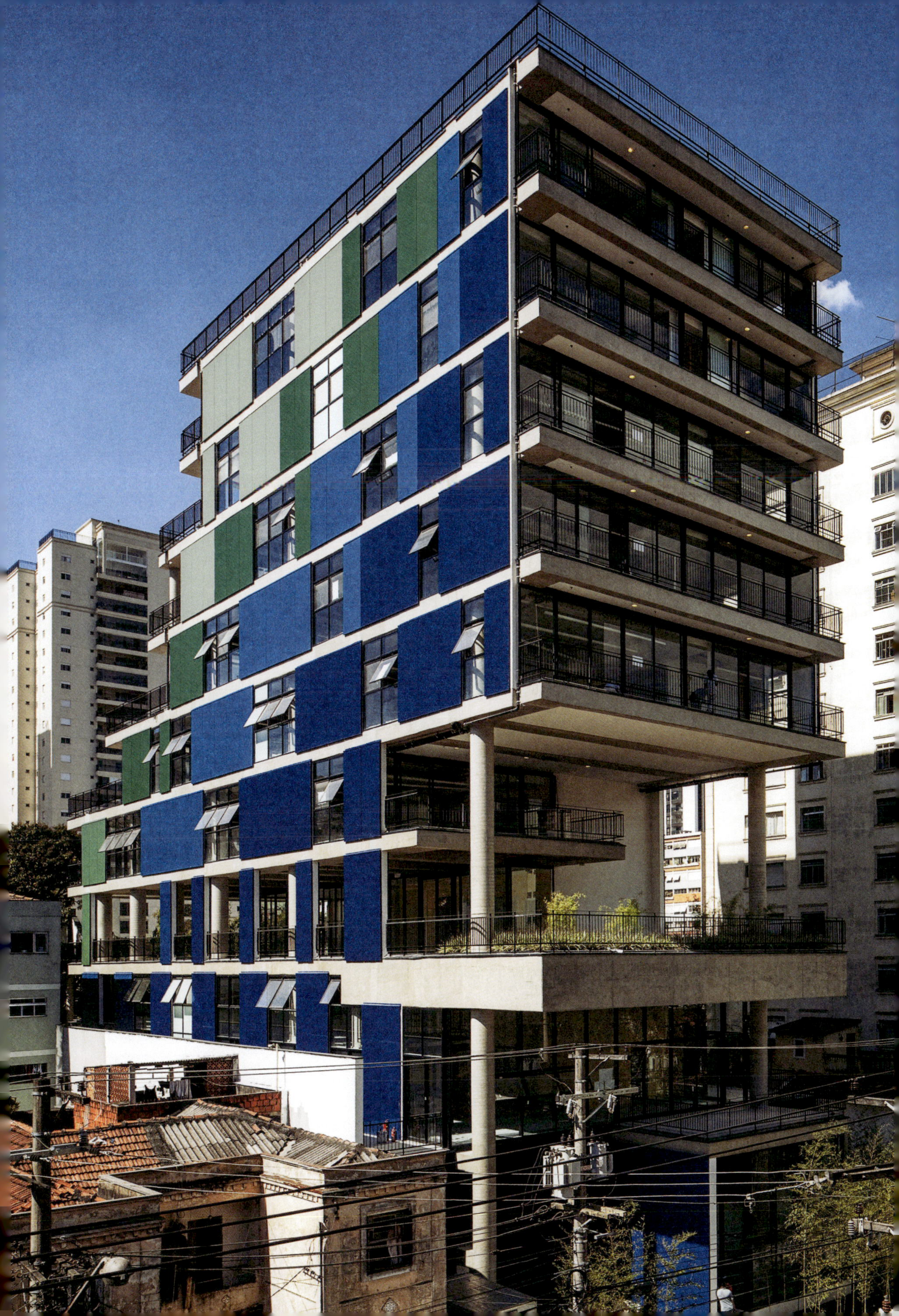

60

A. Planta
   térreo
B. Corte
   longitudinal

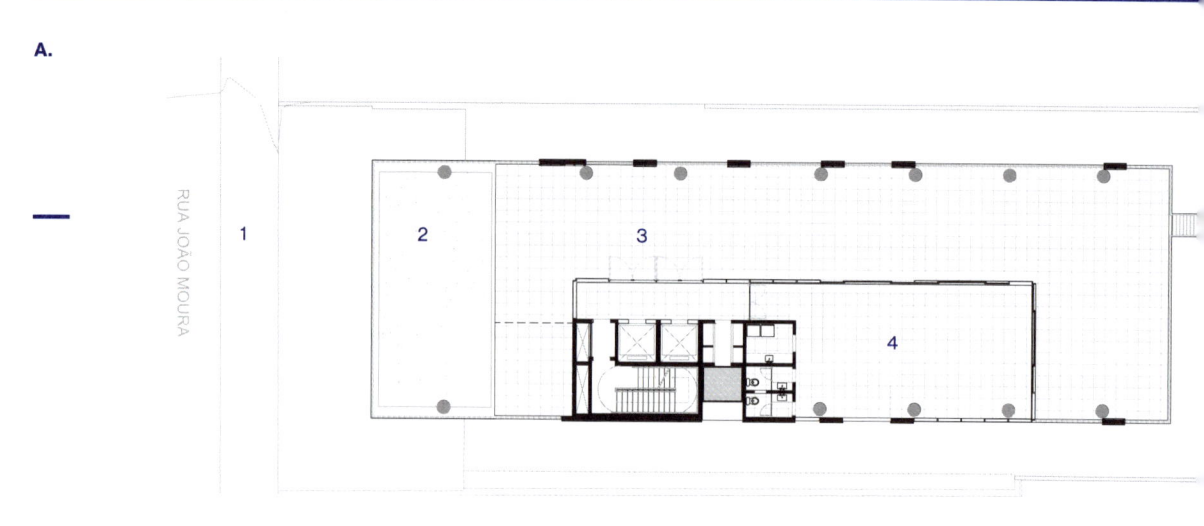

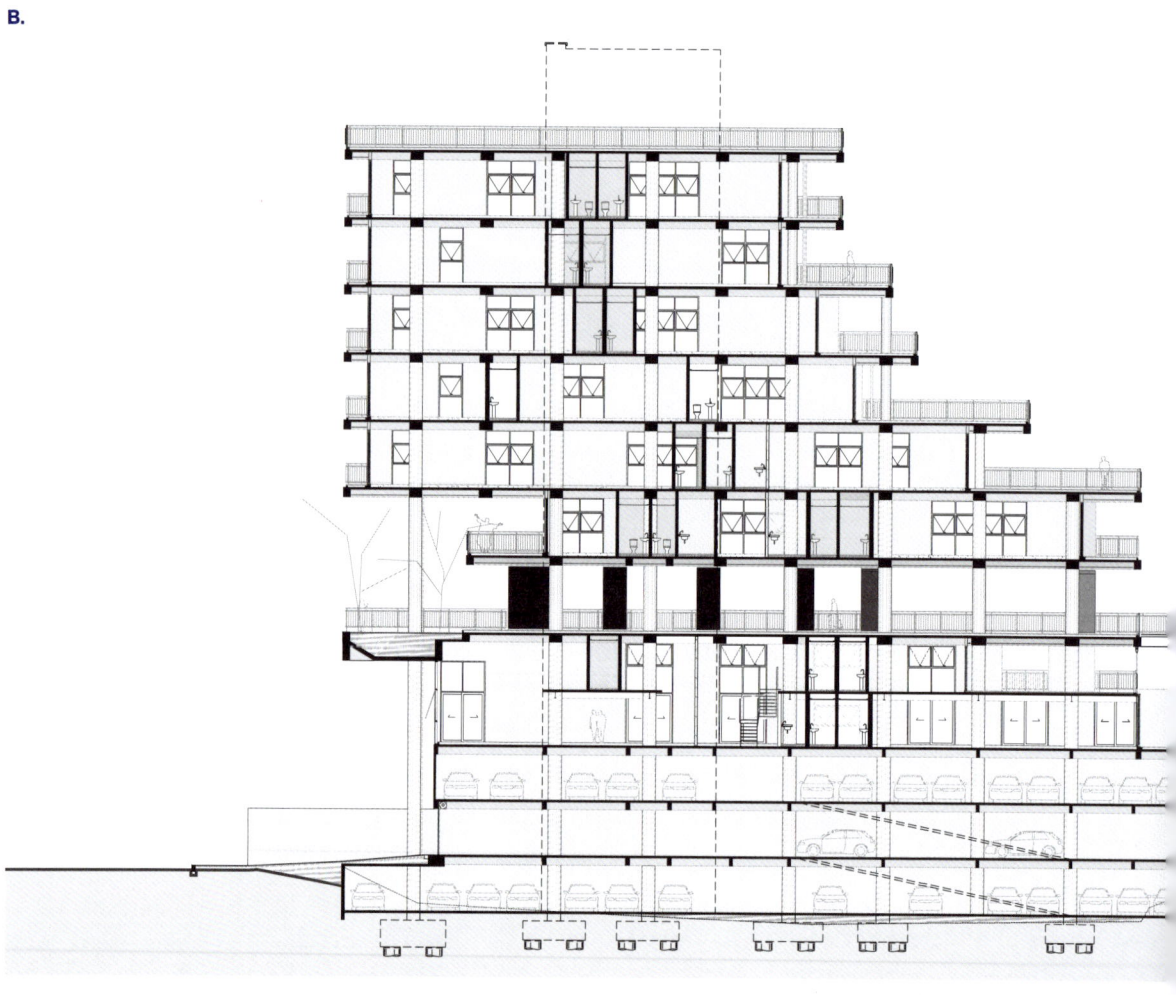

A.

RUA JOÃO MOURA

1   2   3   4

B.

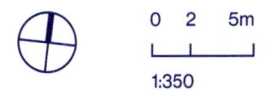

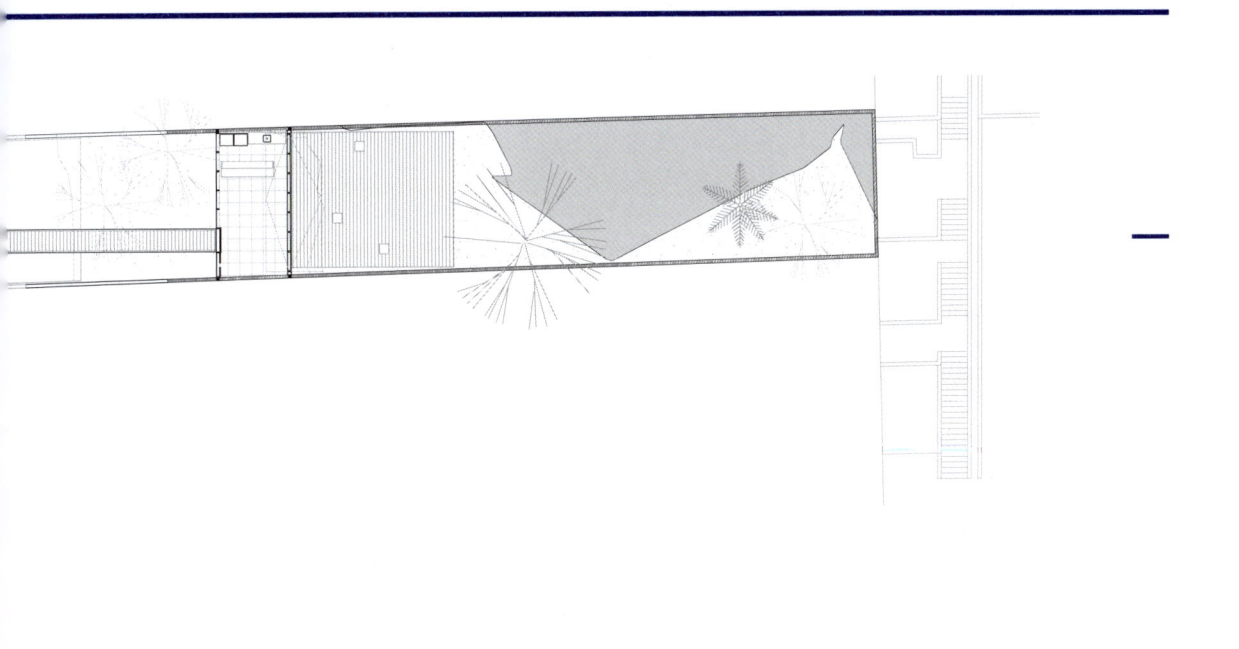

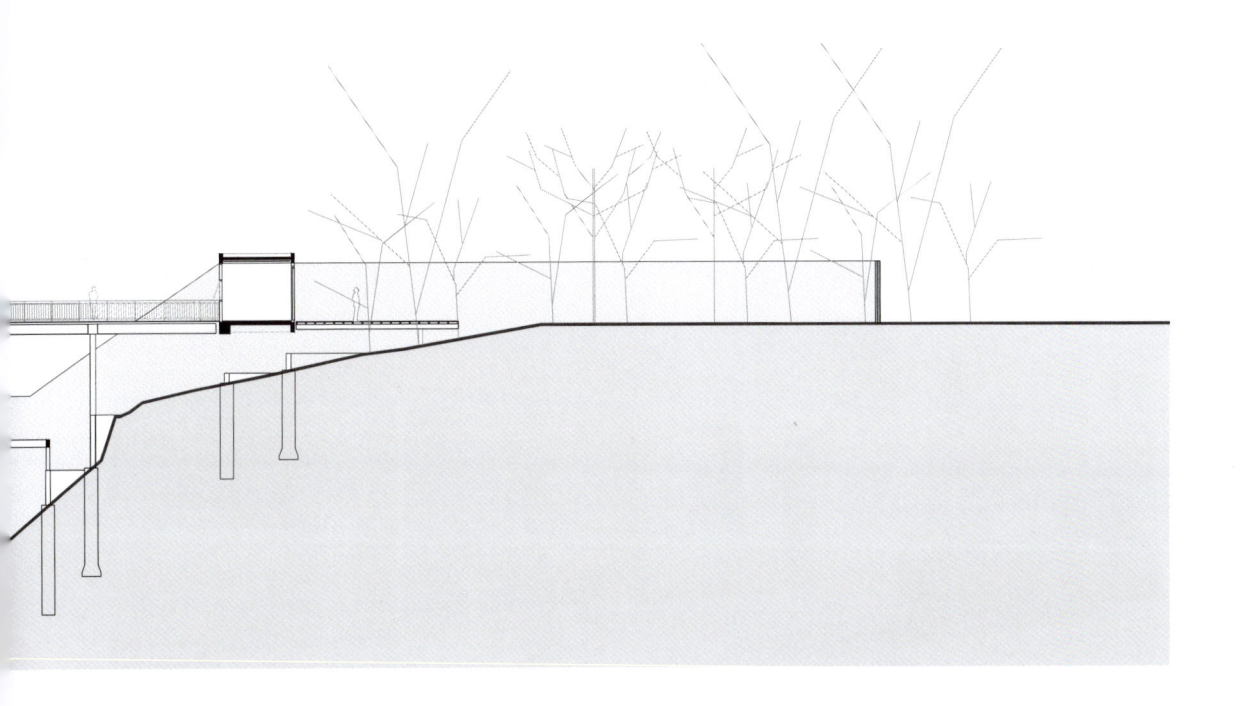

1. Calçada
2. Jardim
3. Pátio coberto
4. Hall

0 2 5m
1:350

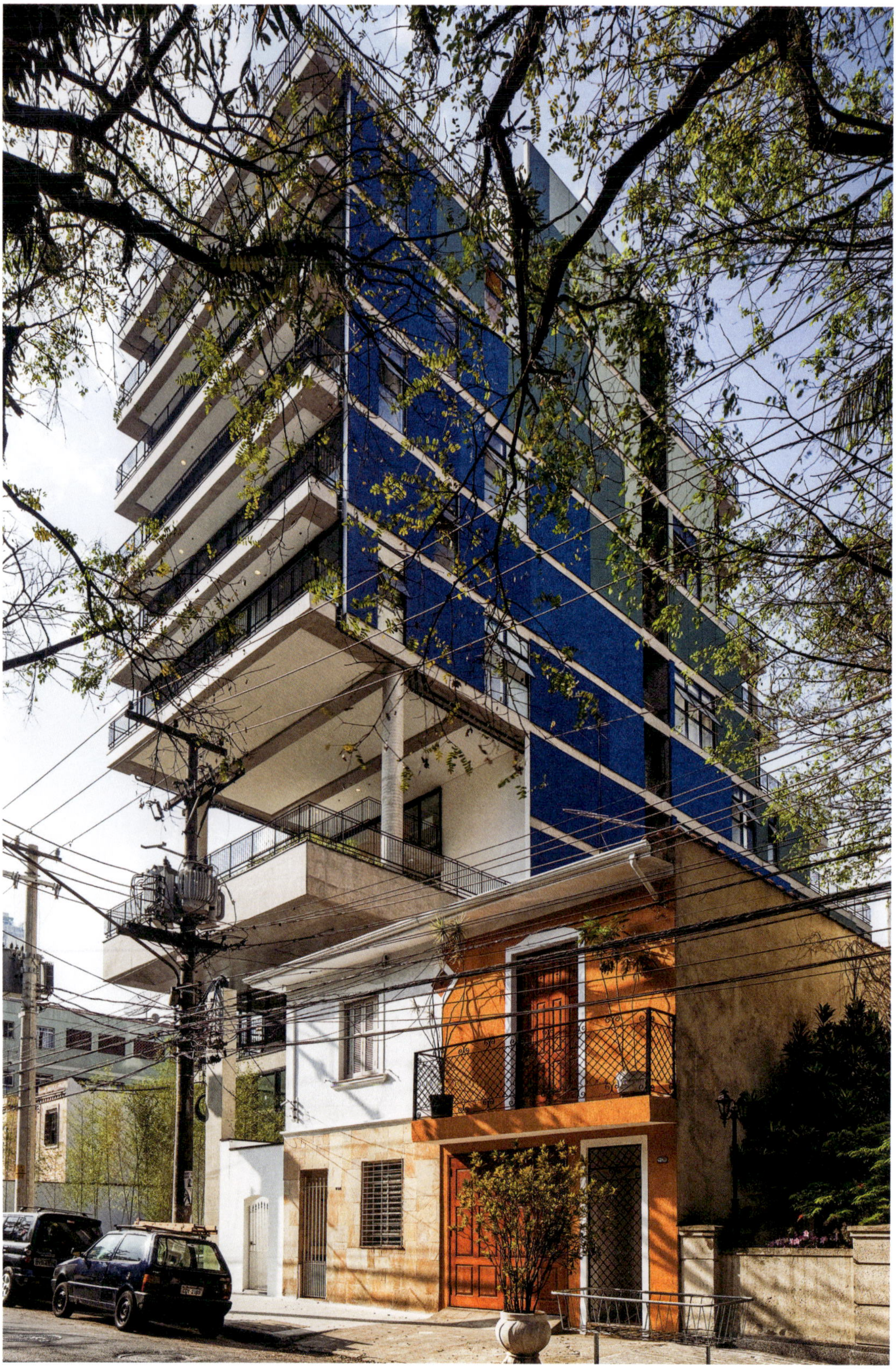

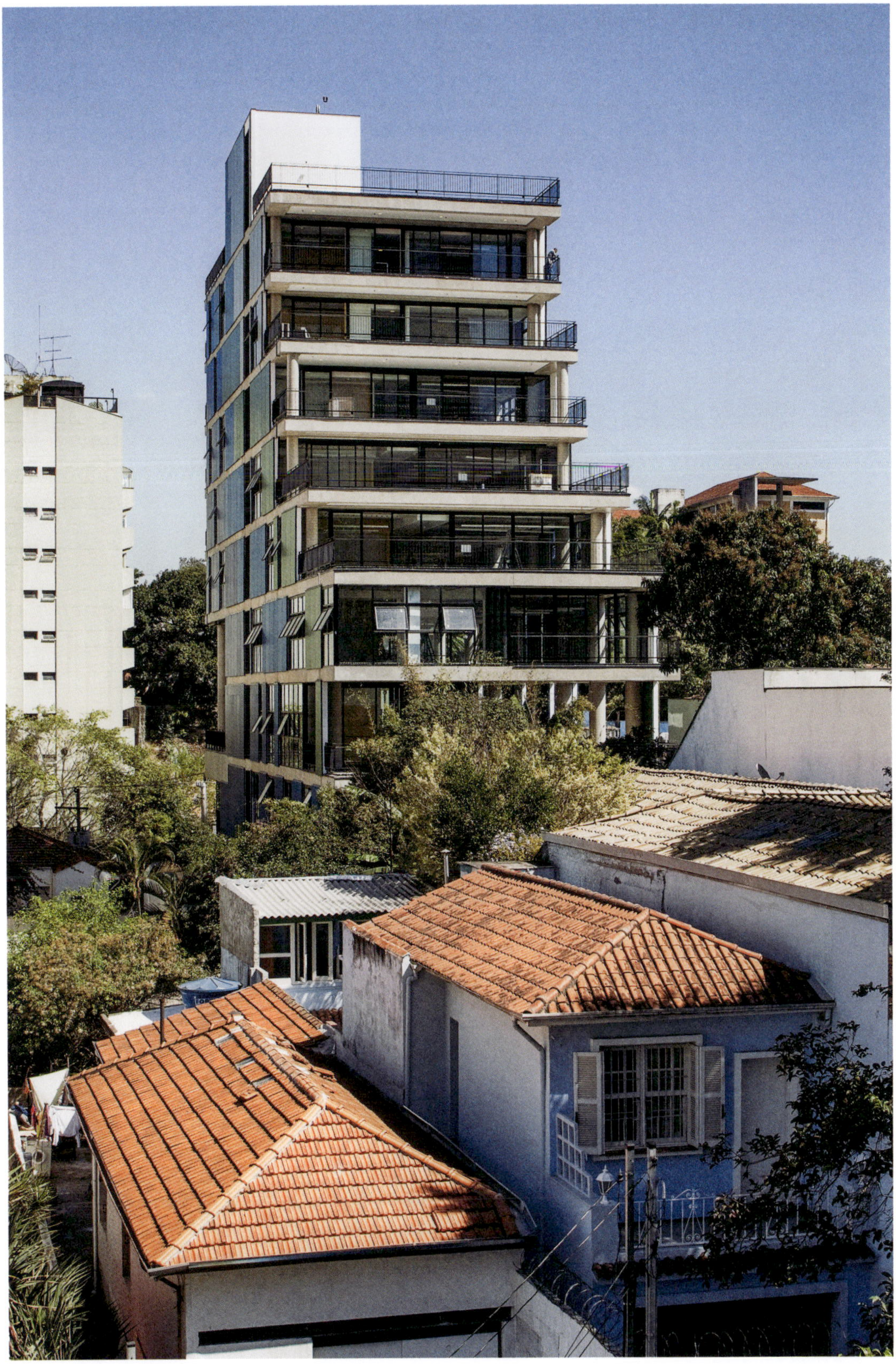

C. Composição dos brises
D. Elevação

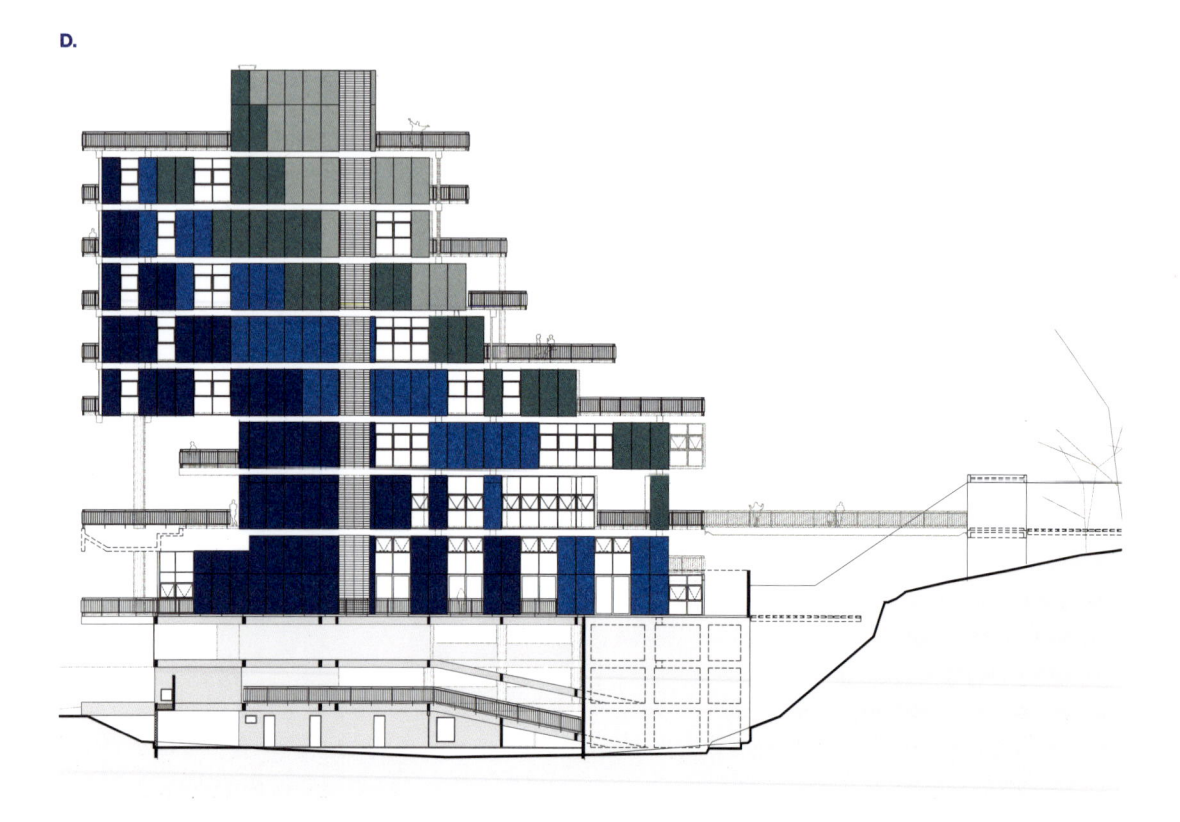

0 5 10m
1:800

C.

D.

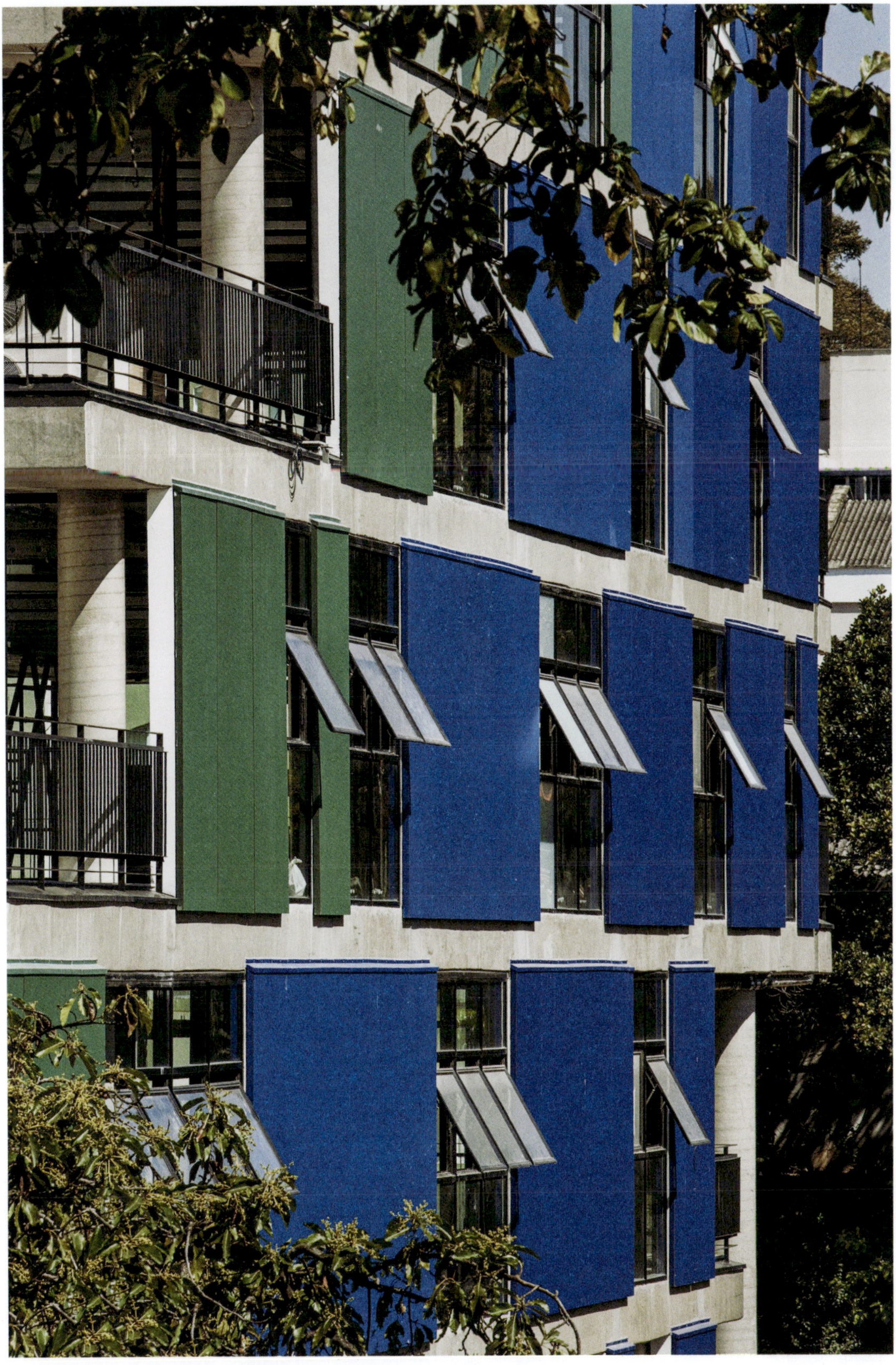

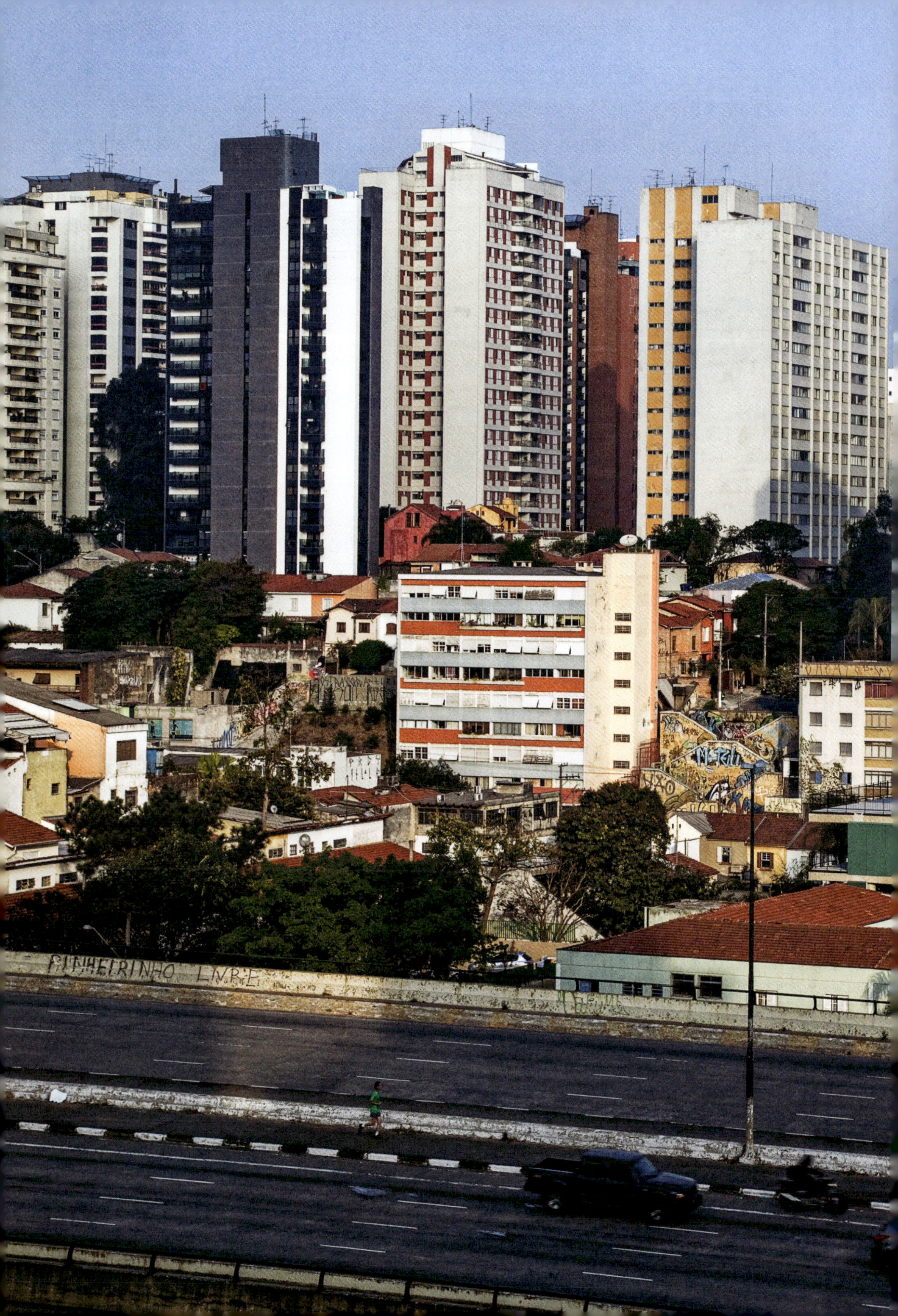
PINHEIRINHO LIVRE

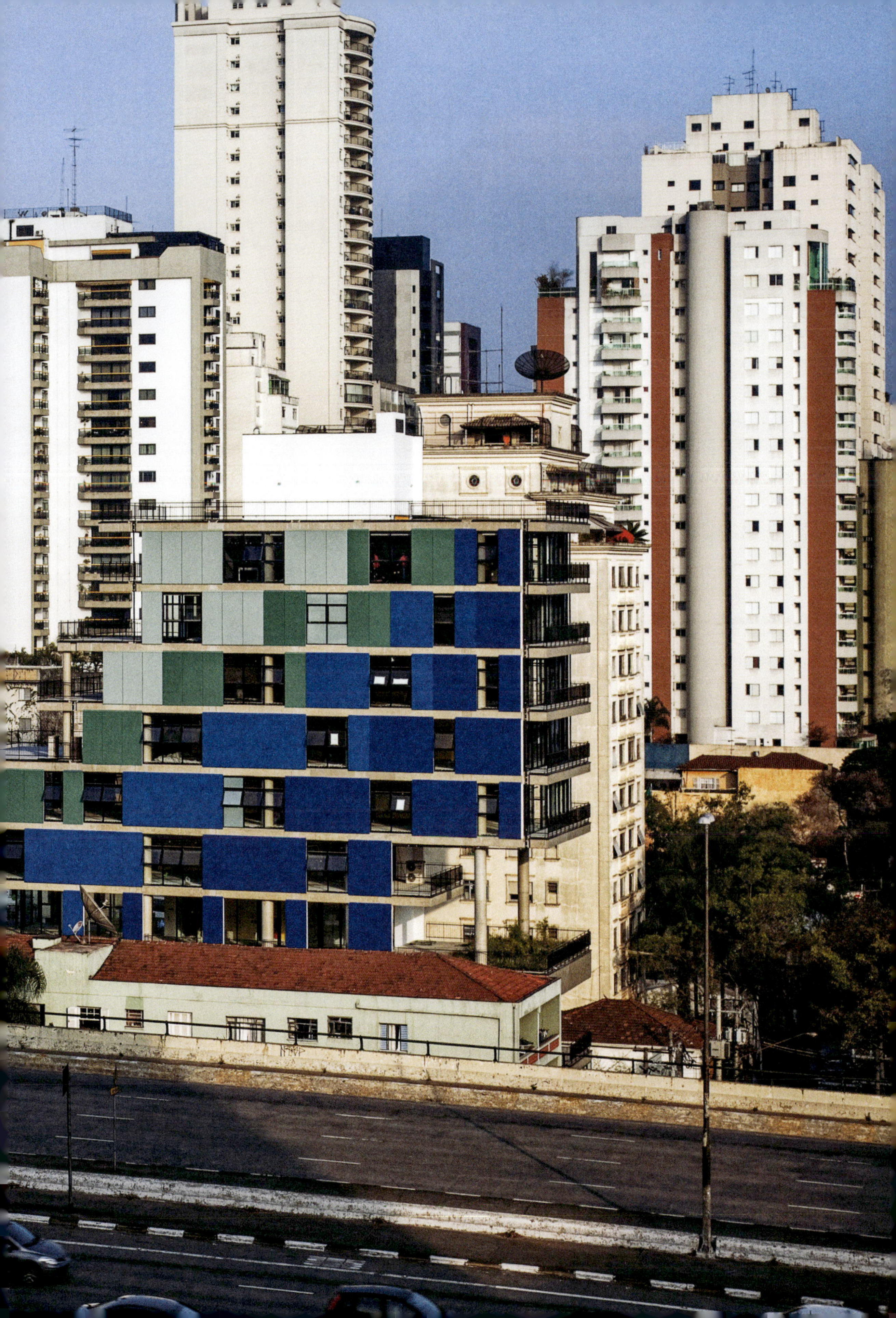

DESTILARIA EM TORRINHA

TORRINHA, SP, 2018-2021

O projeto consiste na definição de uma estrutura para abrigar e organizar a produção da cachaça no interior de São Paulo. Trata-se de um grande galpão com 75 metros de comprimento e 15 metros de largura, e com altura variável de acordo com o desnível do terreno; pé-direito de quatro metros no alto do terreno e pé-direito de 8,30 metros na parte baixa do terreno.

Dois pátios foram definidos nas cabeceiras do grande galpão, com desnível de cinco metros entre eles: o de chegada da cana-de-açúcar na parte alta do terreno e o de saída da cachaça engarrafada, na parte baixa.

O galpão é uma casca metálica apoiada sobre dois muros de contenção de concreto. A casca metálica é composta de 15 pórticos distantes cinco metros uns dos outros, além de uma modulação de 1,25 metros, com altura variável em sua base e nivelados pela cota mais alta da cobertura, composta de telha metálica termoacústica em duas águas e calhas nas extremidades laterais. As laterais são fechadas por um brise de chapa metálica ondulada e perfurada, desde a cobertura, mas suspensa do chão, que permite a circulação do ar e da luz natural de forma controlada.

Os dois muros são escalonados, ao longo do desnível do terreno, com 40 centímetros de espessura e dispostos no sentido longitudinal, acompanhando a maior dimensão do galpão.

Quatro muros transversais fazem a ligação entre os dois muros laterais longitudinais e definem os quatro desníveis principais da destilaria, modulados de acordo com a altura das escadas, com degraus de 18 centímetros de altura.

Volumes independentes, com estrutura de concreto, fechamentos de alvenaria e caixilhos de alumínio, acontecem dentro do galpão metálico, e abrigam os setores específicos da produção.

A circulação principal acontece nas extremidades do galpão, de forma perimetral, entre o brise e os volumes de concreto, também acompanhando o desnível do terreno e conformando uma espécie de antecâmara; uma rampa, com inclinação de 8% e patamares a cada dez metros, e duas escadarias em lados opostos definem esse sistema. Circulações secundárias metálicas fazem ligações pontuais entre os diferentes setores.

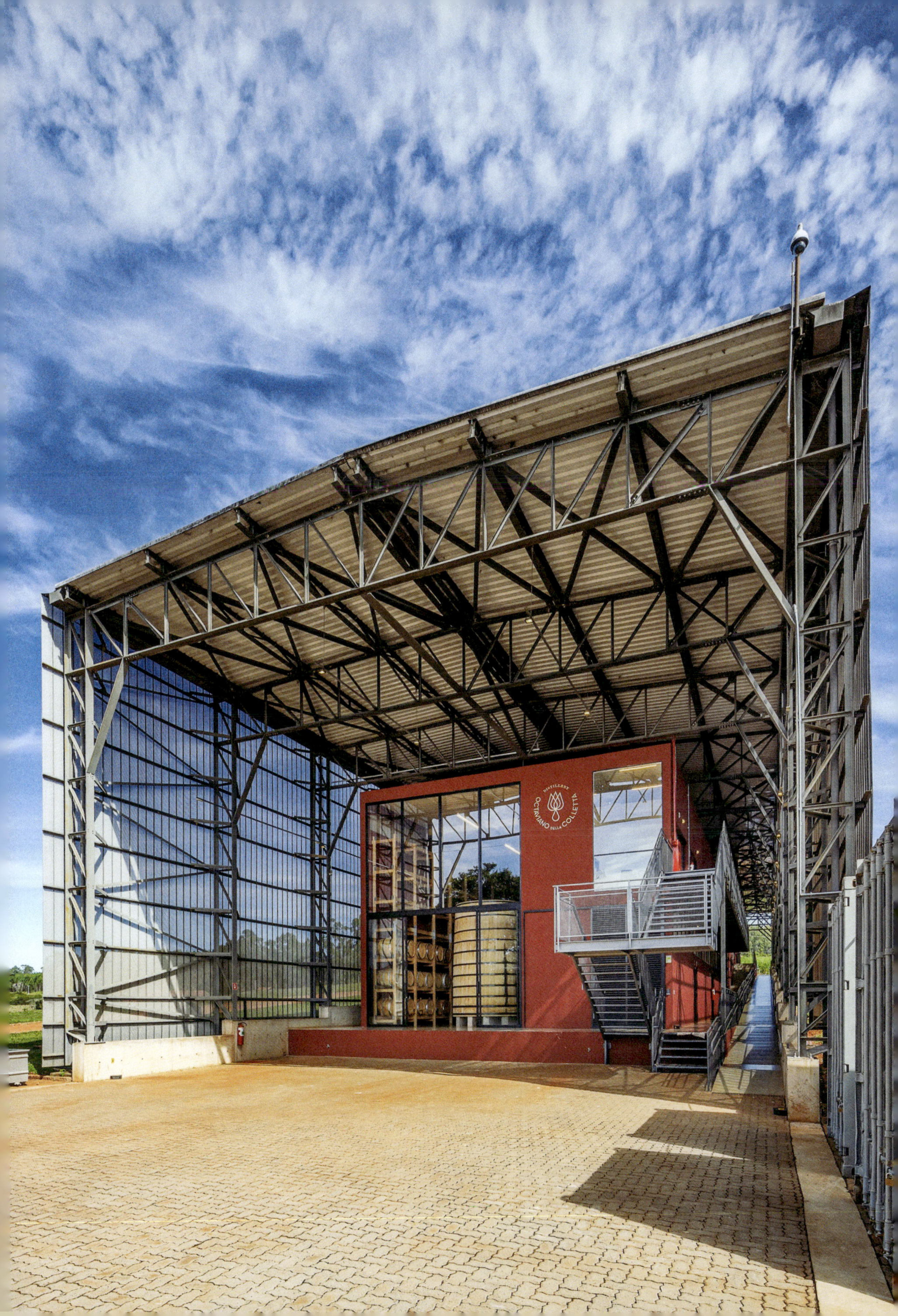
DISTILLERY
OCTAVIANO DELLA COLLETTA

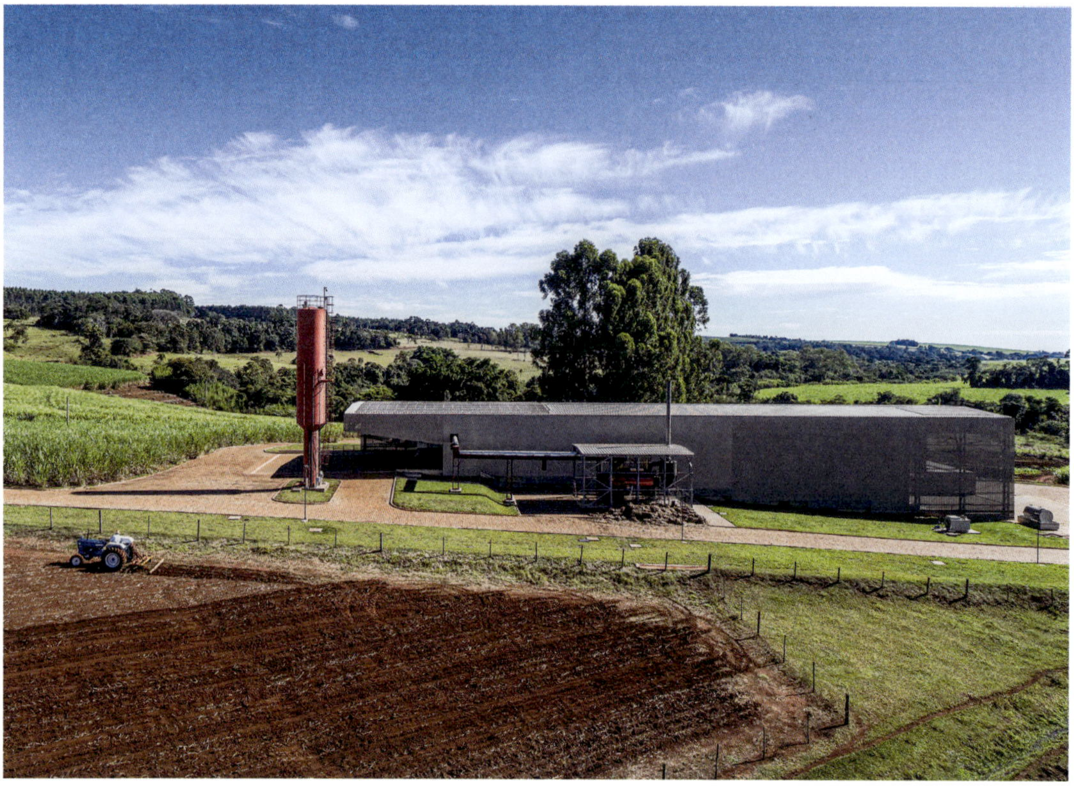

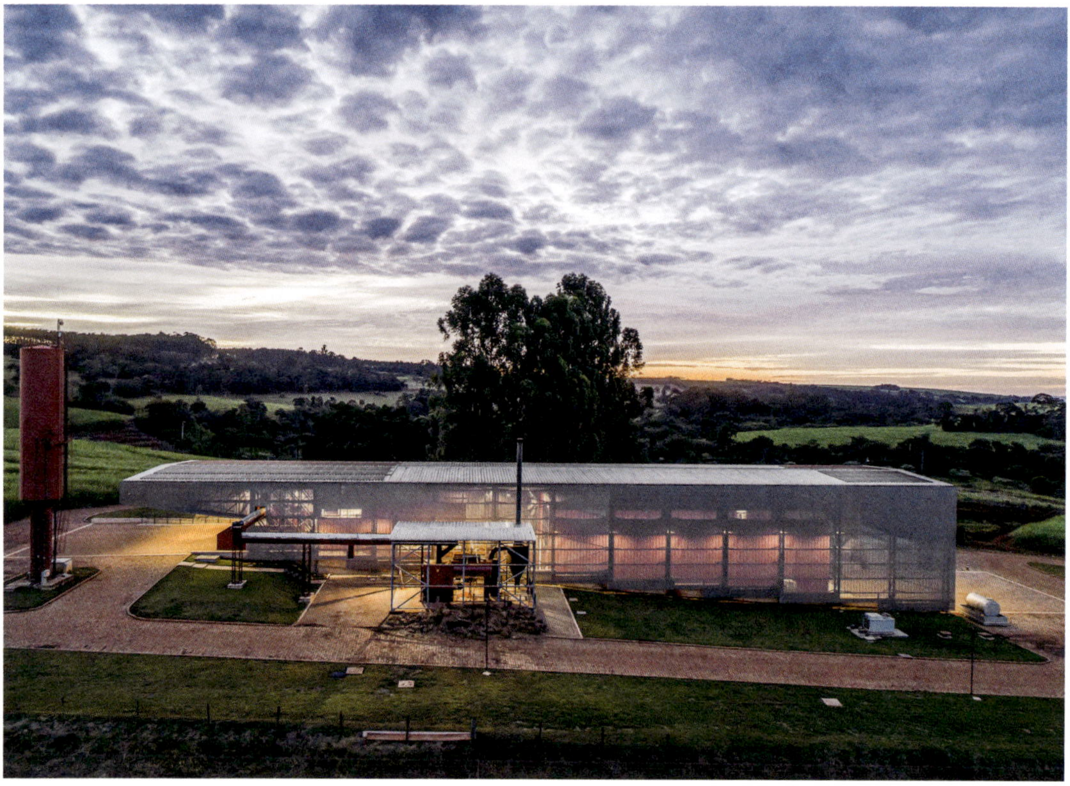

71

72

A. Planta
B. Corte longitudinal

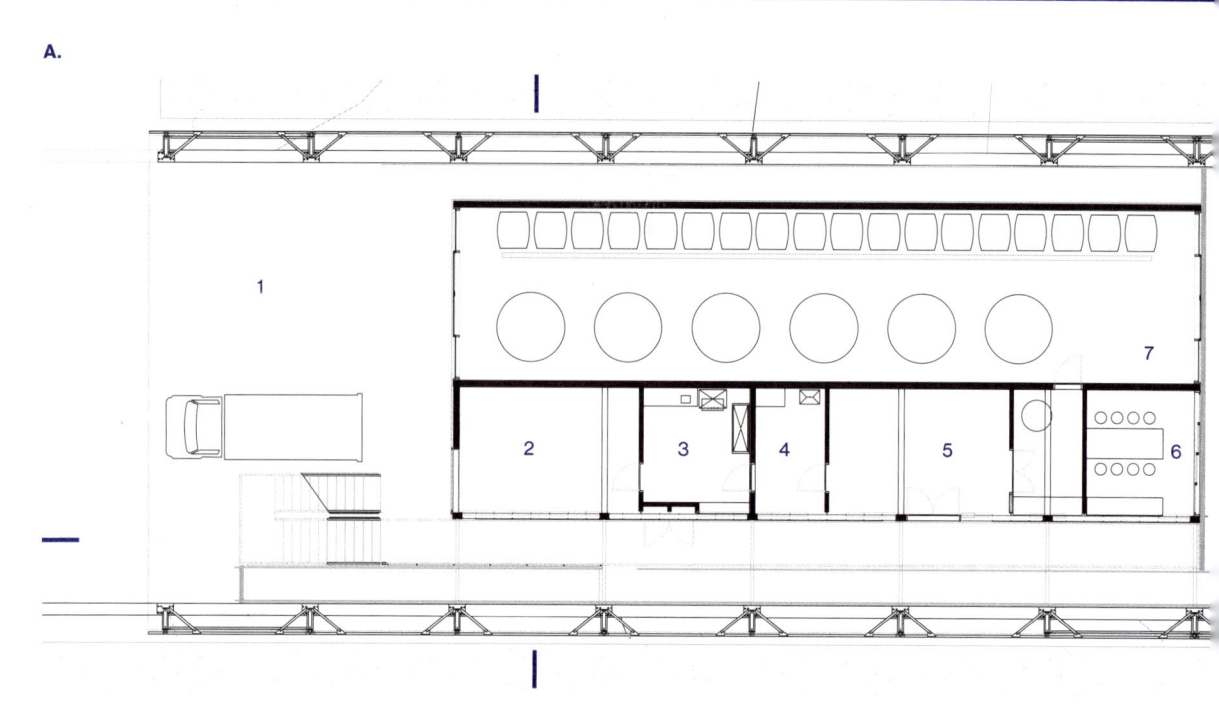

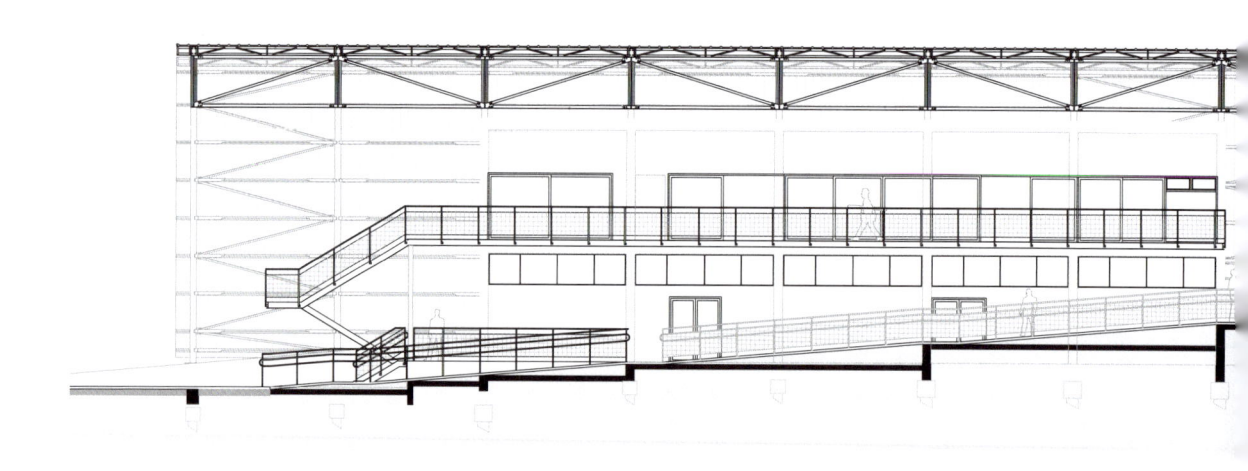

1:550   1 5 10m

A.

B.

1. Estacionamento
2. Estoque
3. Envase
4. Pré-enxágue
5. Depósito de garrafas
6. Sala de degustação
7. Armazenamento
8. Destilação
9. Preparo de caldo
10. Laboratório
11. Moagem
12. Estoque de cana
13. Pátio de manobras

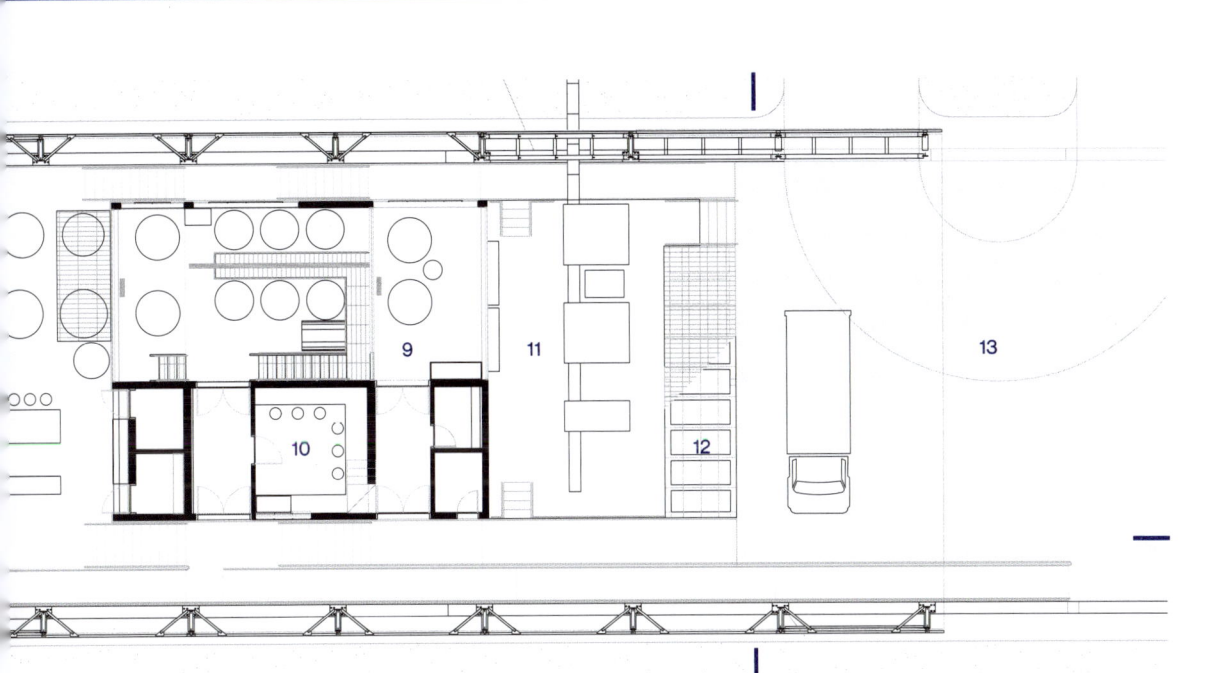

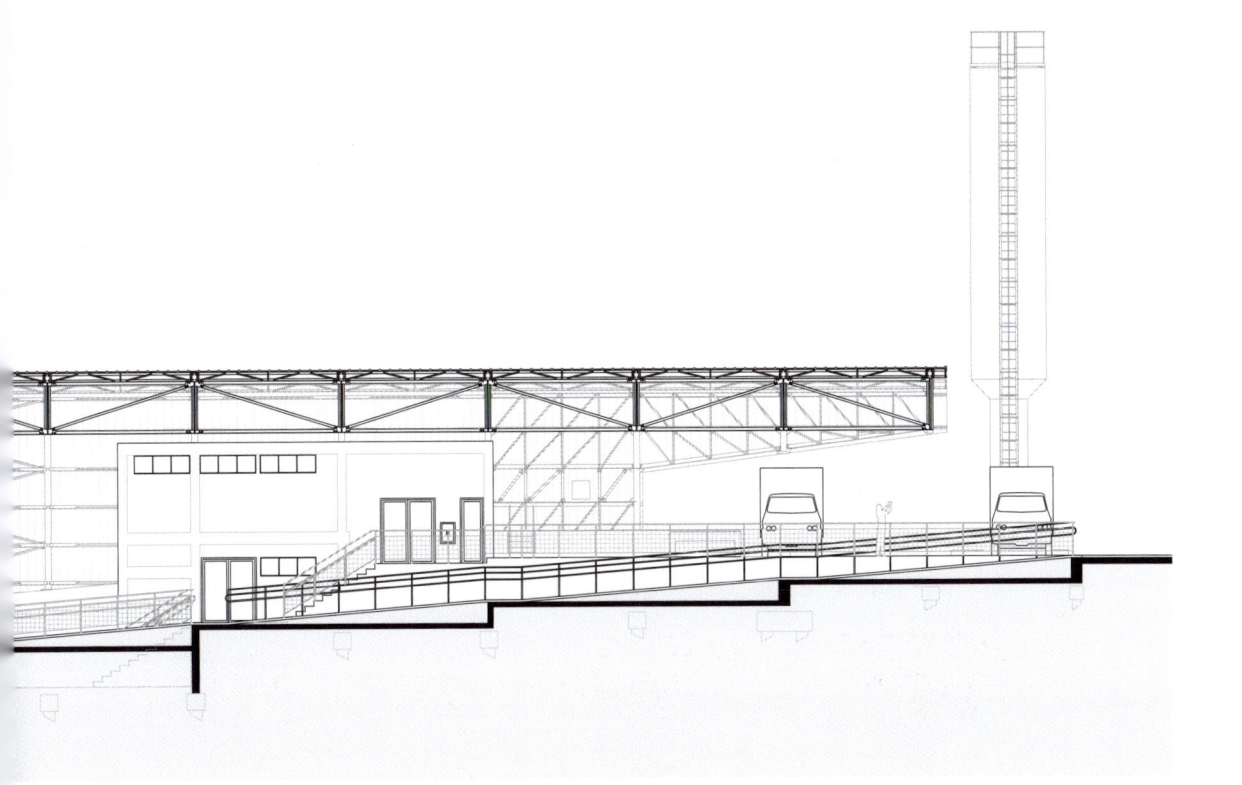

C. **Planta 2º pavimento**
D. **Elevação**

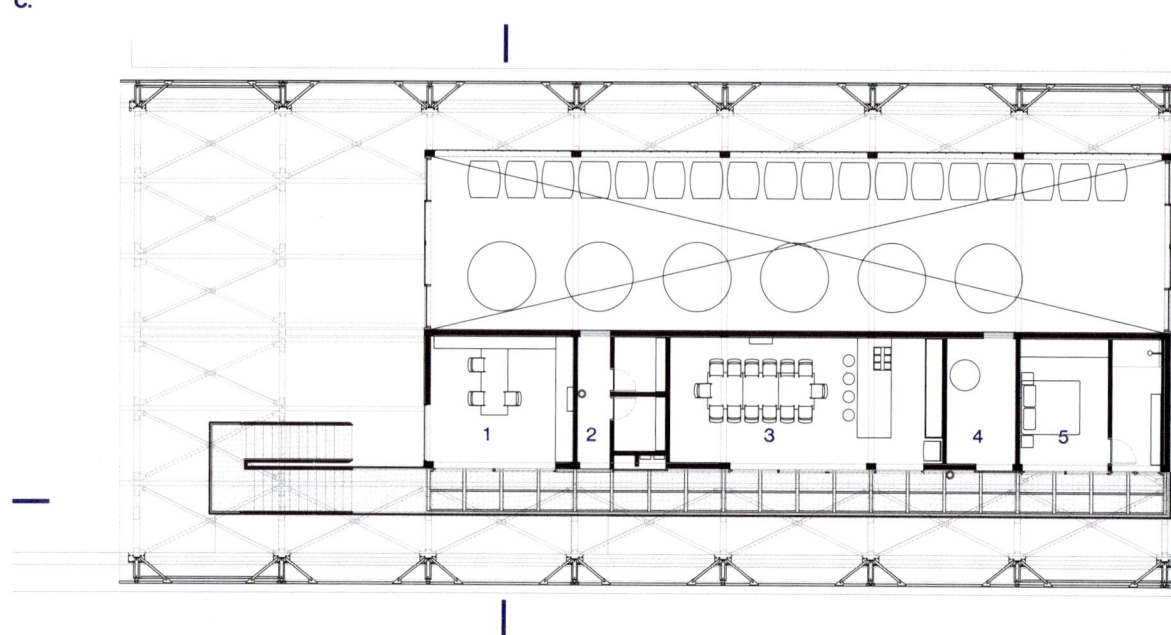

1:550

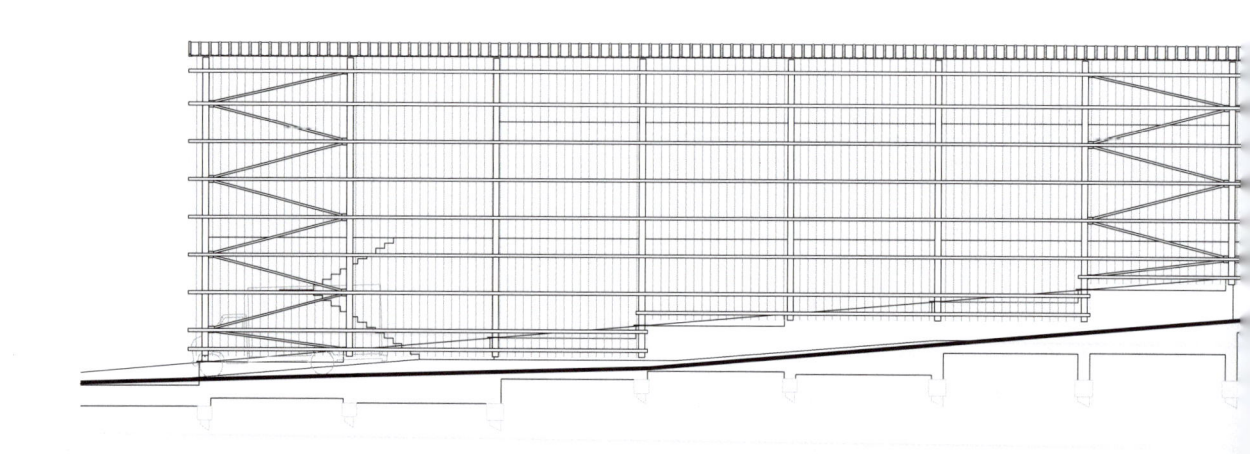

1. Escritório
2. Banheiros
3. Sala de jantar
4. Cozinha
5. Dormitório
6. Depósito
7. Sala técnica

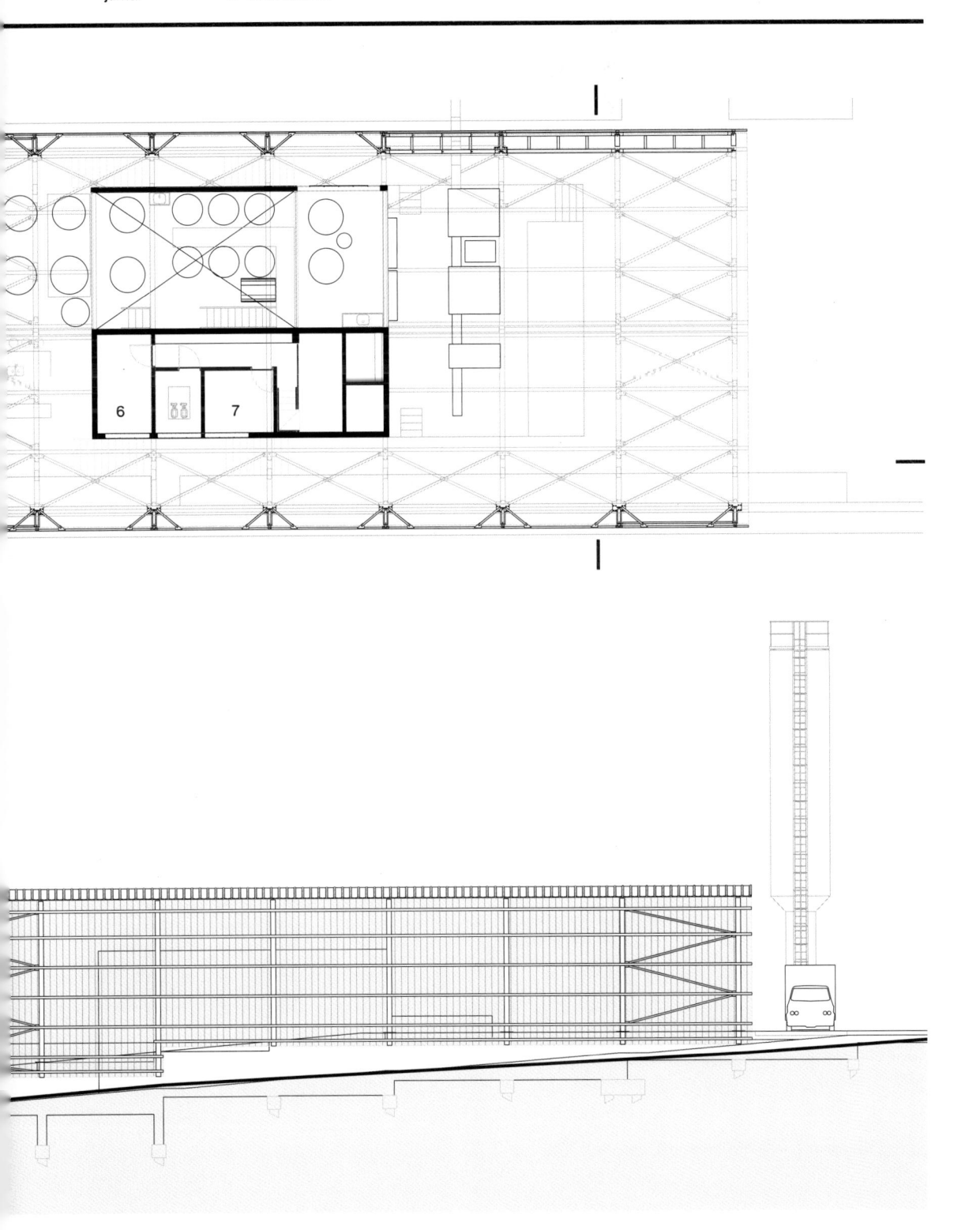

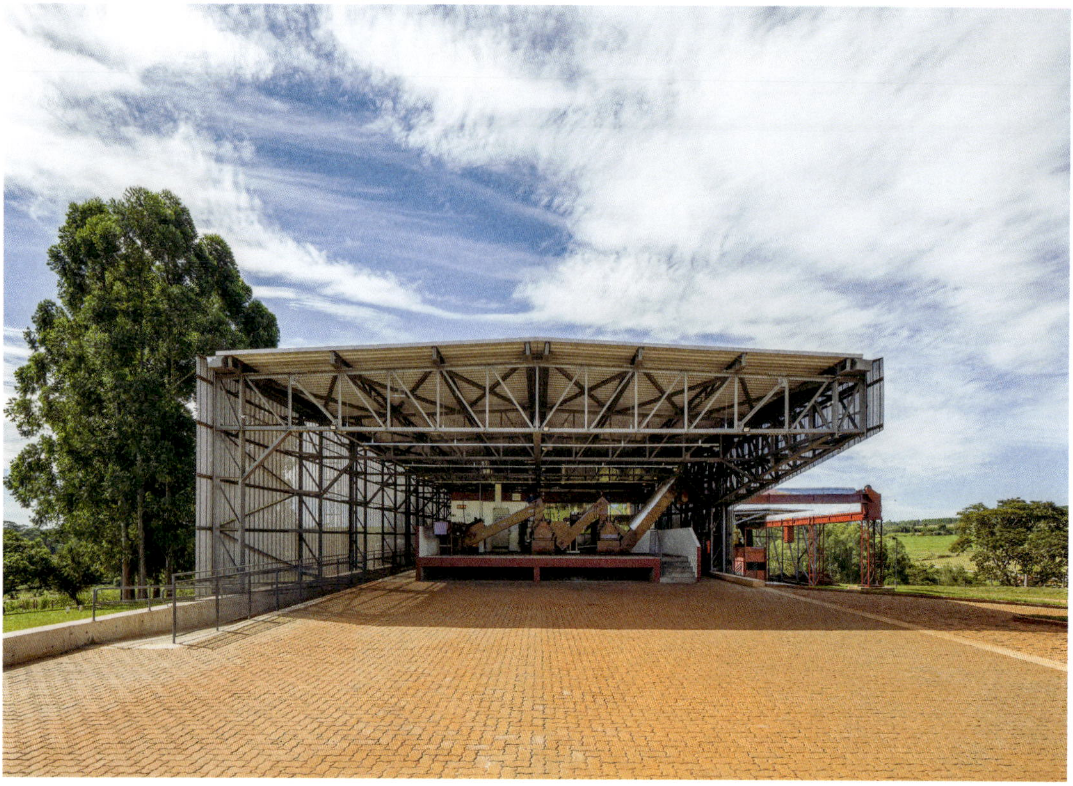

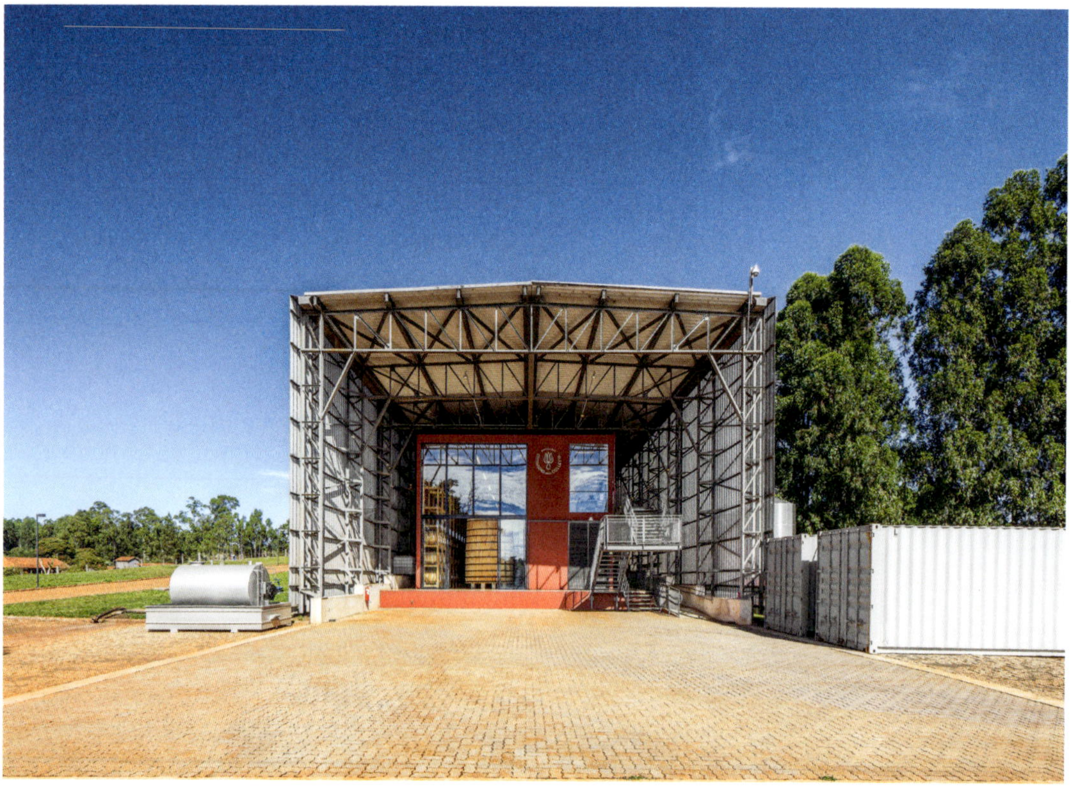

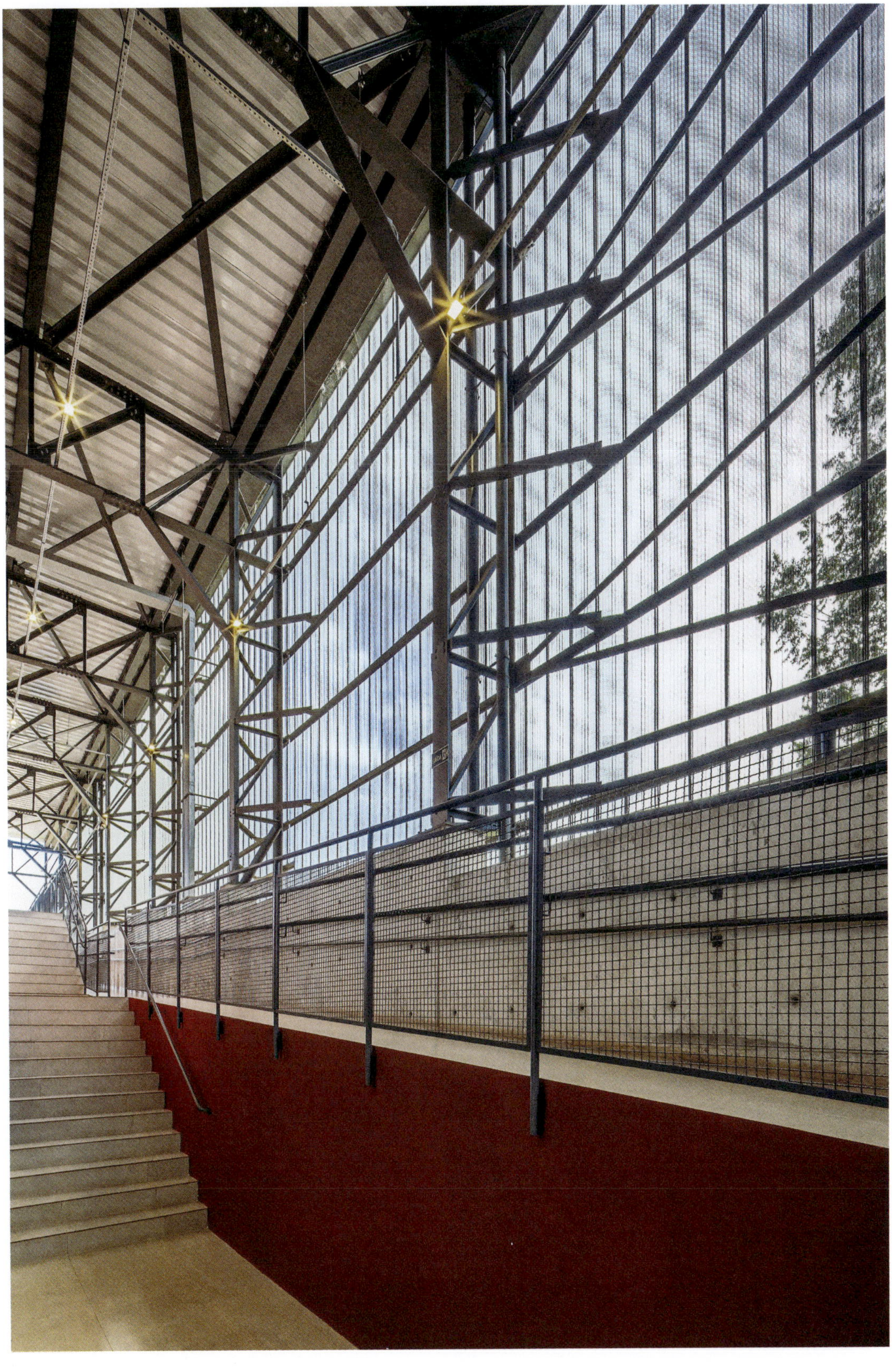

78

E. Corte transversal I
F. Corte transversal II
G. Detalhamento

0 1 3m
1:150

E.

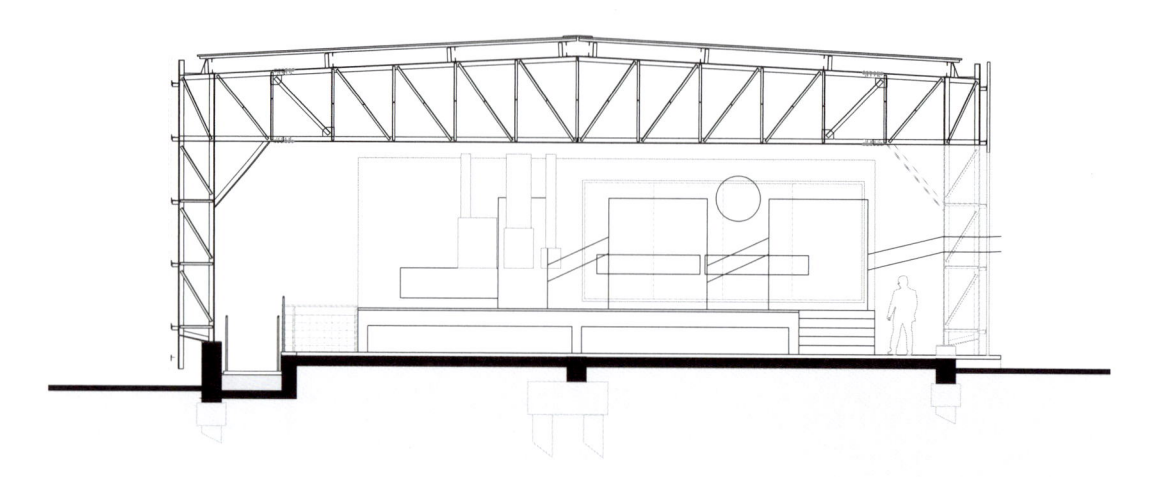

F.

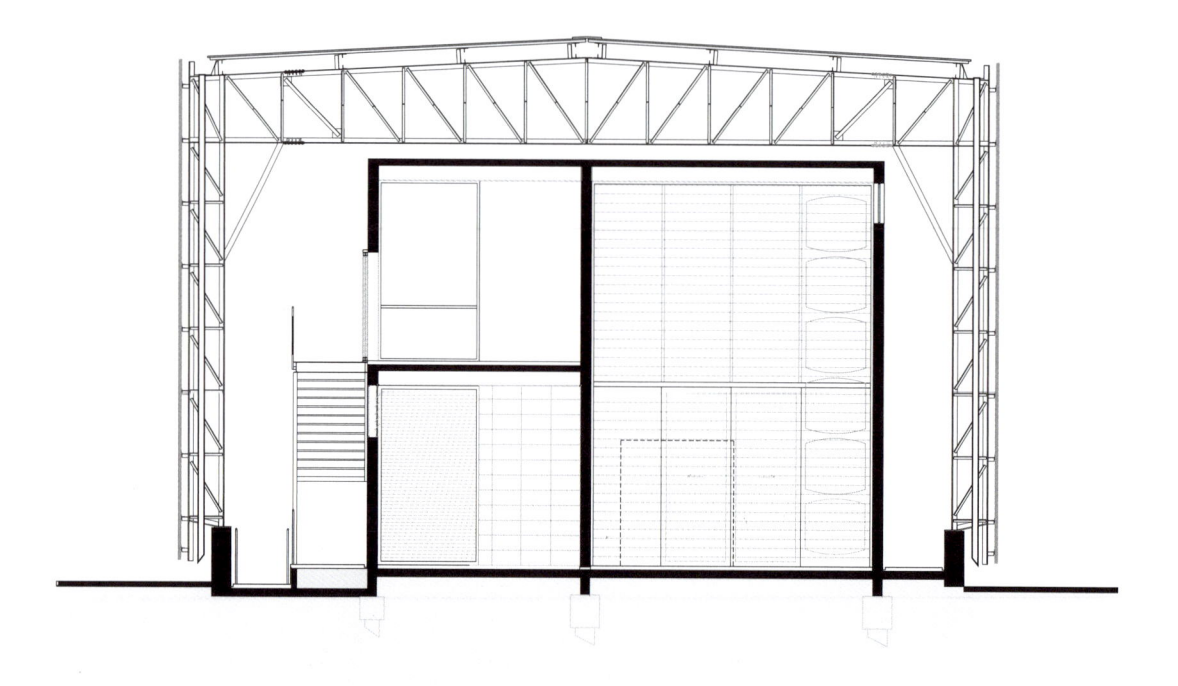

79

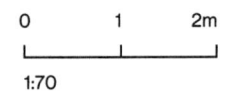

0 1 2m

1:70

G.

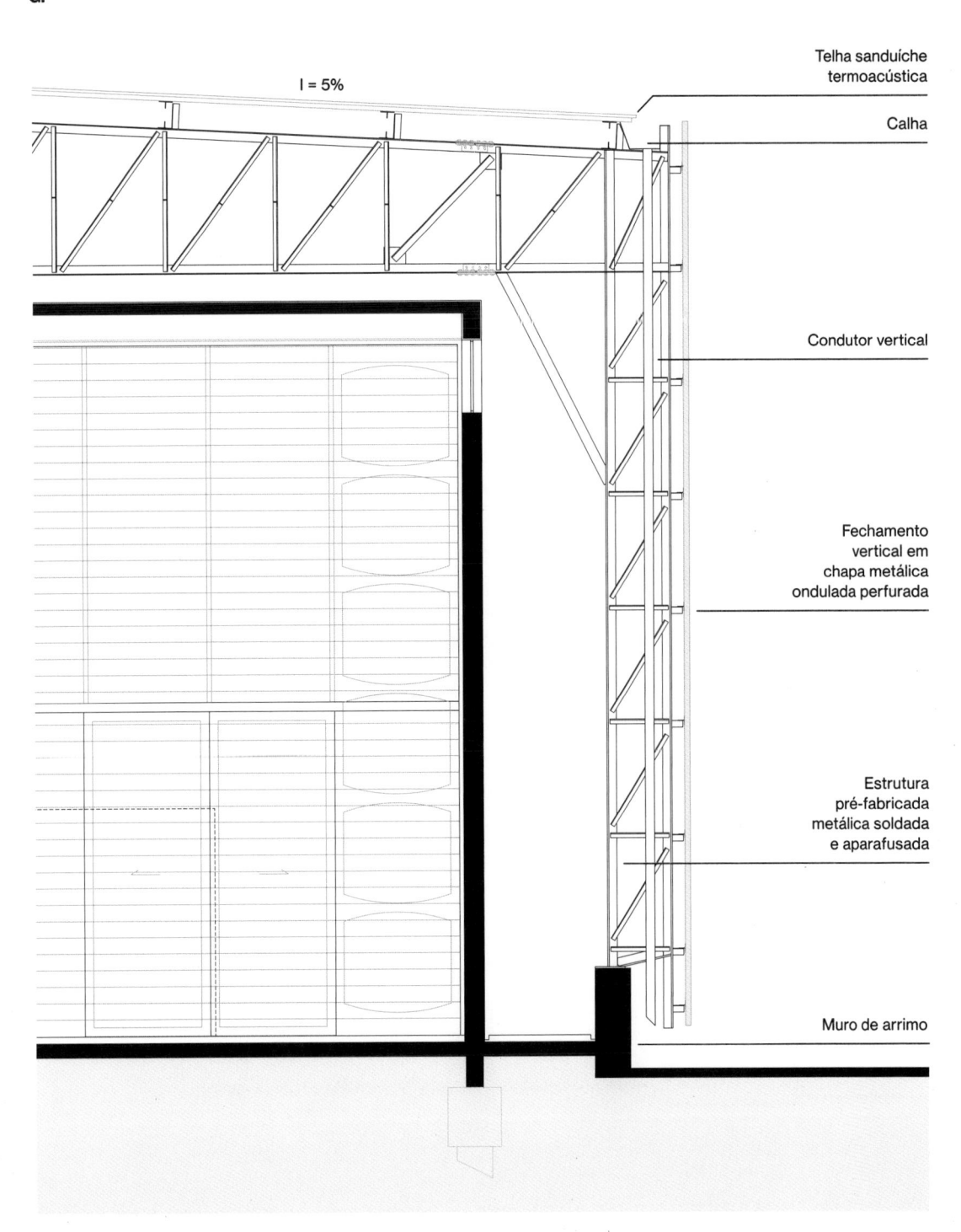

I = 5%

Telha sanduíche termoacústica

Calha

Condutor vertical

Fechamento vertical em chapa metálica ondulada perfurada

Estrutura pré-fabricada metálica soldada e aparafusada

Muro de arrimo

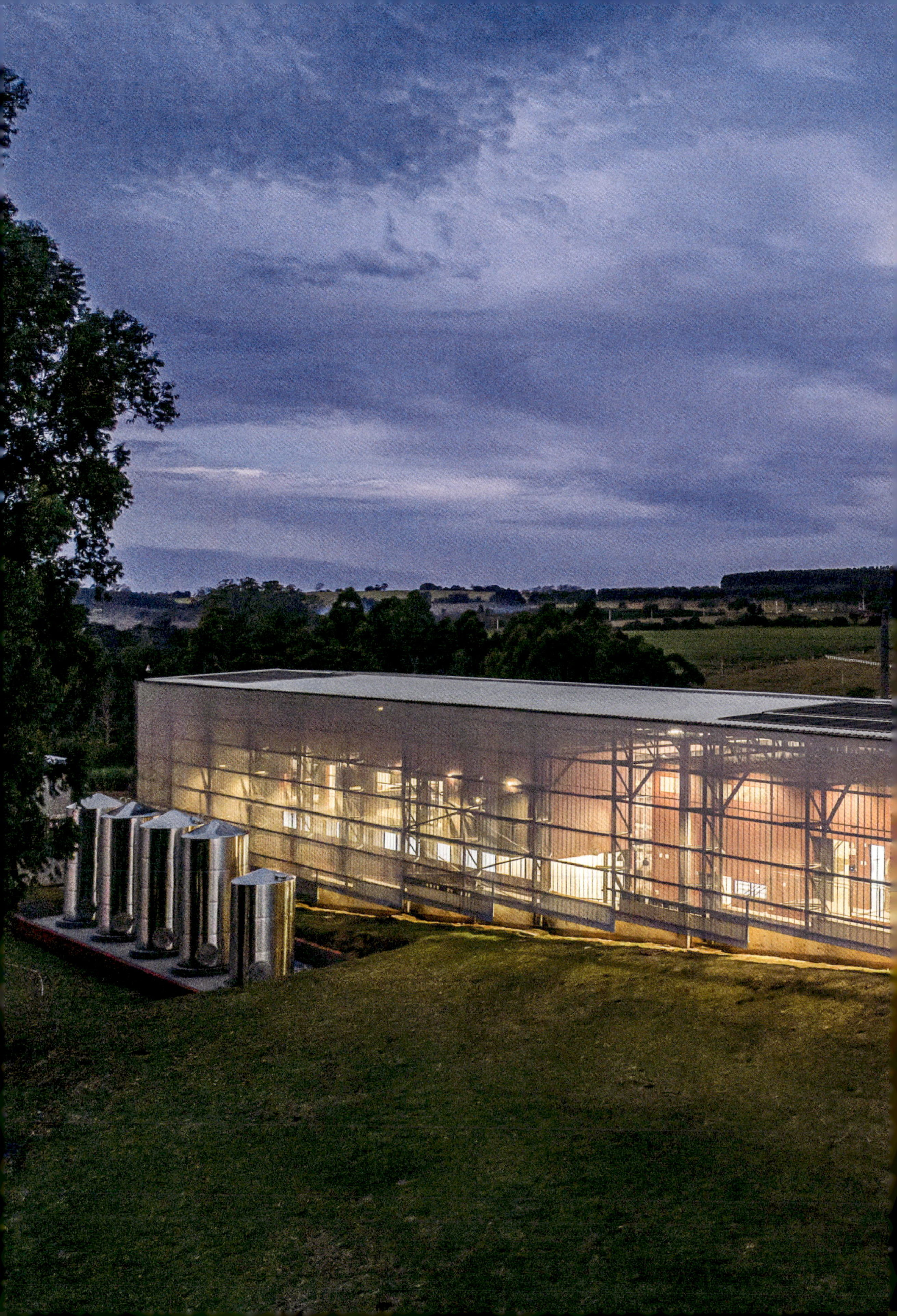

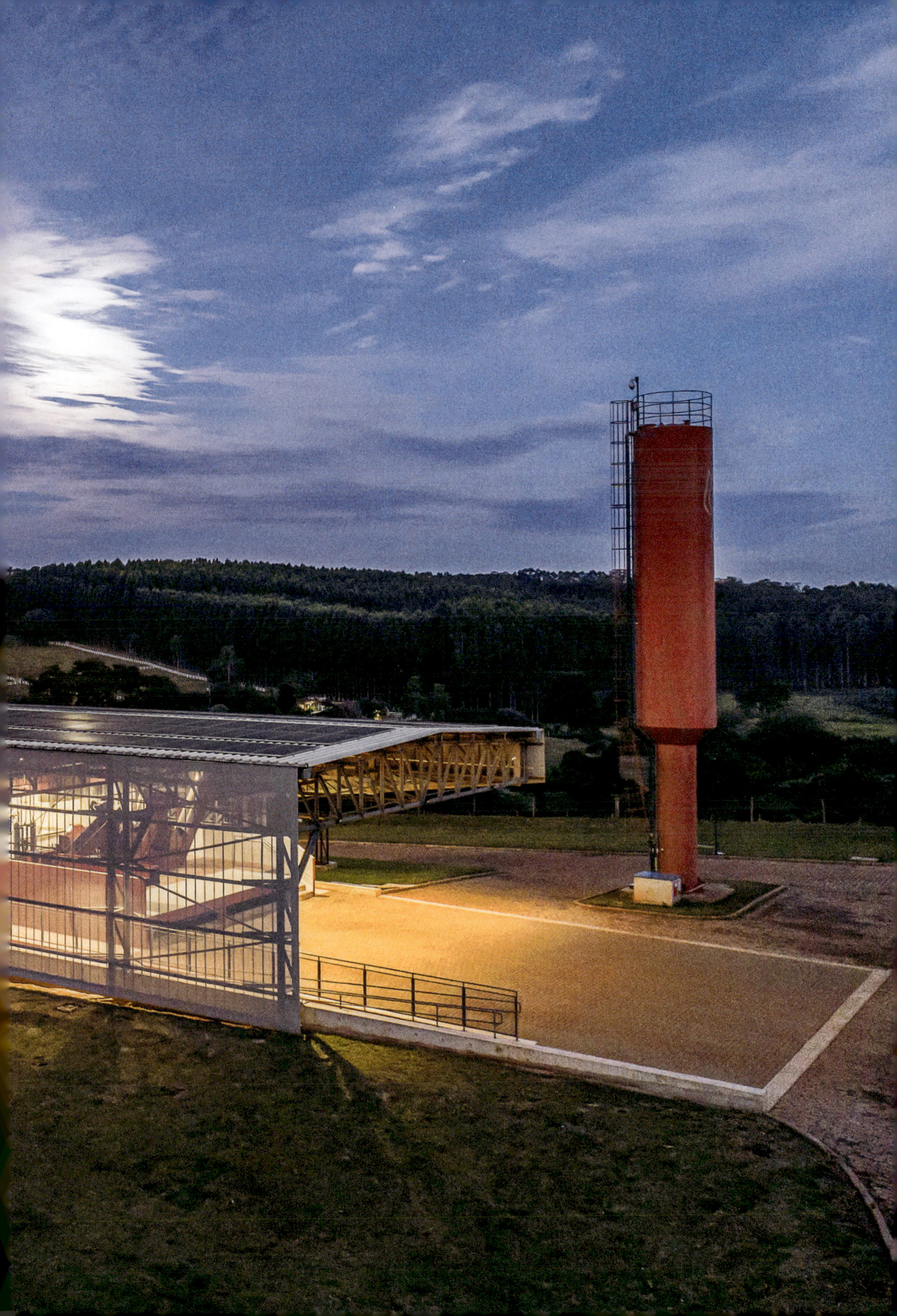

BAIRRO NOVO

SÃO PAULO, SP, 2004

O projeto urbano proposto para concurso Bairro Novo tem como área foco de intervenção uma superfície de cerca de um milhão de metros quadrados, caracterizada geomorfologicamente por terrenos de várzea. Os elementos urbanísticos e paisagísticos que definem os limites dessa área e a qualificam estruturalmente são, por um lado, o rio Tietê e as vias marginais e, por outro, antigas ferrovias, hoje absorvidas e convertidas para o transporte de passageiros pelo sistema de trens metropolitanos.

É importante considerar que a problemática a ser enfrentada deve ser entendida como própria a toda a faixa de território situada entre o rio Tietê e a linha férrea; e dada a tal escala, o seu equacionamento pressupõe um entendimento do significado de toda essa área para a metrópole, o que implica a busca de propostas estruturais cujo raciocínio em macroescala seja extensivo a toda grande faixa referida.

O quadro atual da região resulta de um macroprocesso de reconversão econômica, que levou ao abandono das grandes plantas industriais lá implantadas e à inatualidade do modelo de ocupação lá predominante por muito tempo, e que definiu, portanto, a sua estrutura fundiária e o seu regime de parcelamento e uso do solo.

Trata-se de conceber simultaneamente equipamentos físicos e programas propondo novas finalidades, abrangendo o projeto de estruturas e equipamentos urbanos diretamente vinculados a linhas programáticas e que configurem eixos indutores, para uma nova ocupação da área.

A região propicia, pela sua configuração morfológica, ocasião excepcional para a cidade retomar o diálogo com o rio e a bacia hidrográfica que determinaram como nenhum outro fator o seu desenvolvimento, nos primeiros séculos, e que hoje, negado pela irracionalidade de uma ocupação e de um processo de crescimento não planejado, manifesta-se apenas negativamente, como obstáculo territorial ou causa-mor de enchentes que devastam regularmente a cidade.

Pelo interesse que a área oferece para a requalificação da cidade, cabe ao poder público municipal exercer o principal papel na região. Desse modo, para além de agente propositor de um novo planejamento, o poder municipal, na qualidade de proprietário de grandes glebas na área, deve protagonizar os programas determinantes do novo regime de ocupação, em vista dos benefícios para a cidade.

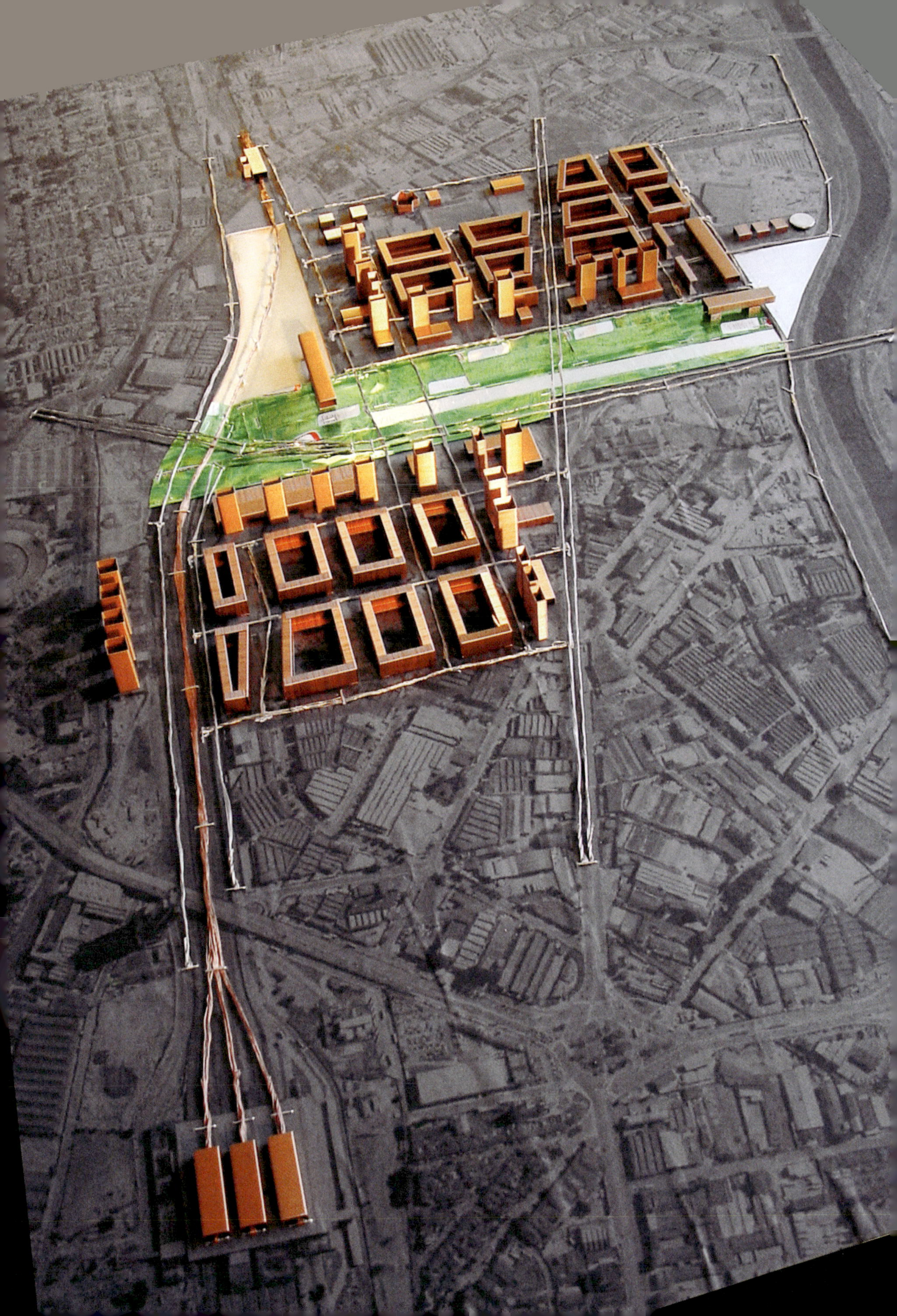

84

A. Planta de Implantação
B. Diagrama de fases
C. Diagrama viário
D. Diagrama de ocupação
E. Diagrama de espaços livres

A.

1. Rio Tietê
2. Marginal Tietê
3. Av. Marquês de São Vicente
4. Av. Francisco Matarazzo
5. Linha férrea

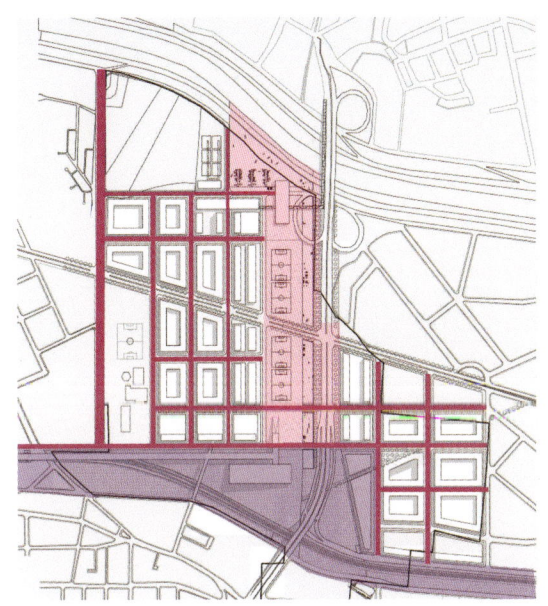

B. Fase 1 (rosa): construção do parque linear, alargamento do Rio Tietê e construção de HIS, escola de esportes náuticos. Fase 2 (magenta): alteração na geometria viária e abertura de novas vias. Fase 3 (roxo): Construção de Praça esplanada em torno da estação Água Branca e da linha férrea.

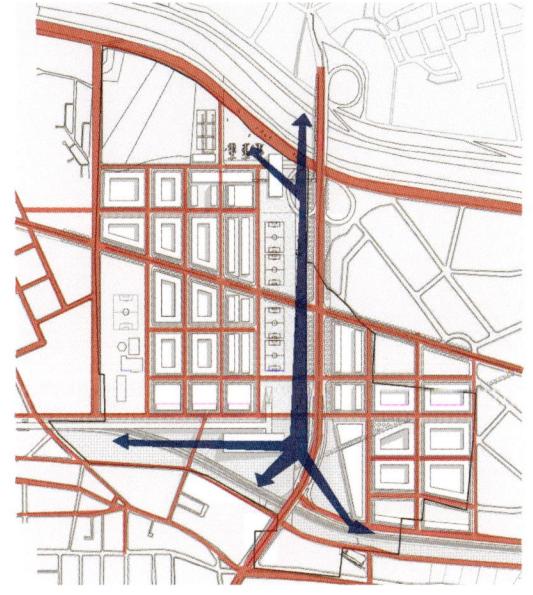

C. Sistema viário e eixos de circulação propostos.

D. Comércio e serviço: embasamento de 4 a 6 andares sem muros ou relevos, com pátios internos integrados com o passeio público e acesso às torres de escritório e moradia. Equipamentos públicos: escolas, clubes, museus e teatros.

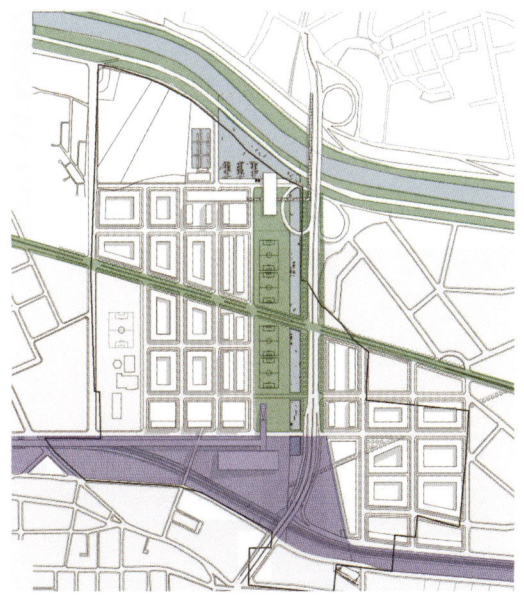

E. Baía: alargamento do rio para atividades náuticas. Parque central e linear (roxo): espinha dorsal do projeto, acompanha a av. Pompéia com canal, áreas de lazer e atividades esportivas.

86

F. Elevação I
G. Elevação II
H. Ampliação I
I. Ampliação II

F.

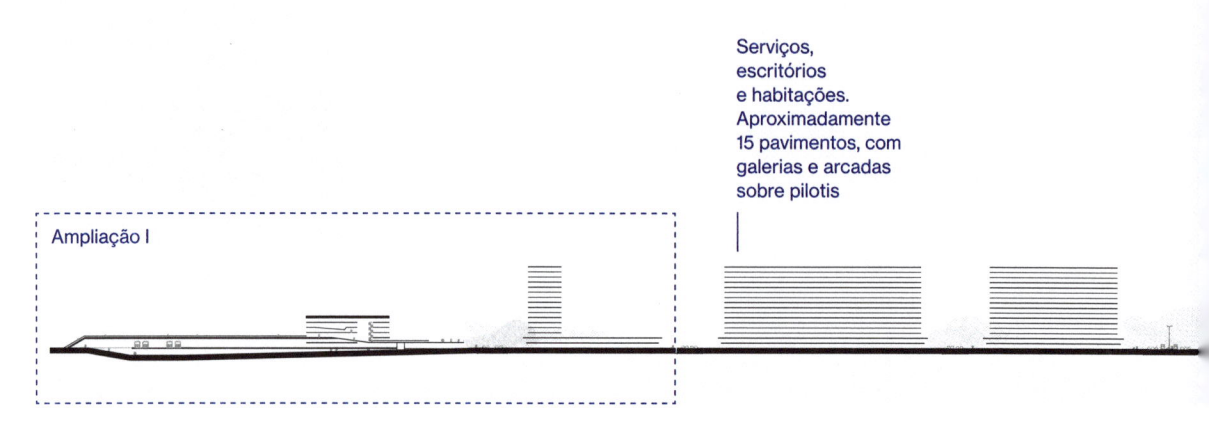

Ampliação I

Serviços,
escritórios
e habitações.
Aproximadamente
15 pavimentos, com
galerias e arcadas
sobre pilotis

G.

Esplanada, praça seca de
piso contínuo e fluido para
articulação e convergência
das áreas lindeiras à via
férrea, irradiando o fluxo
de pedestres para o bairro

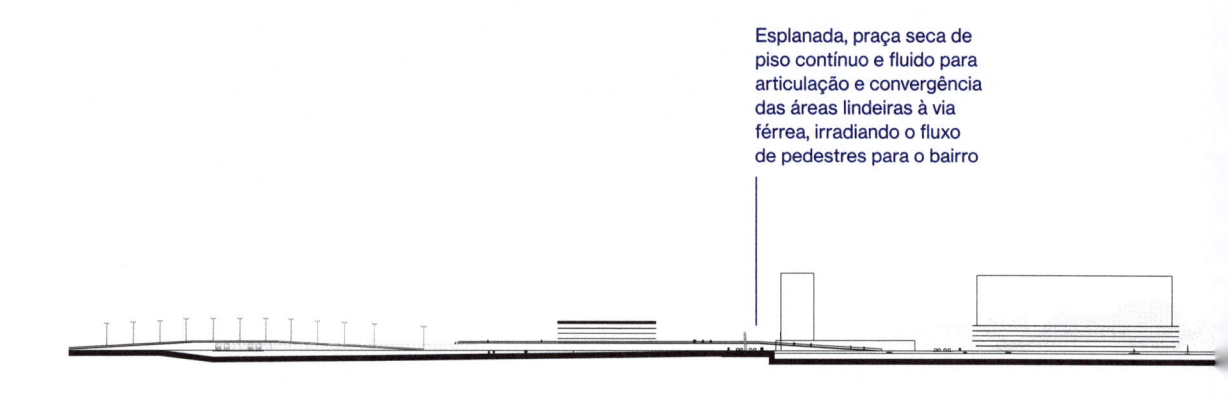

H.

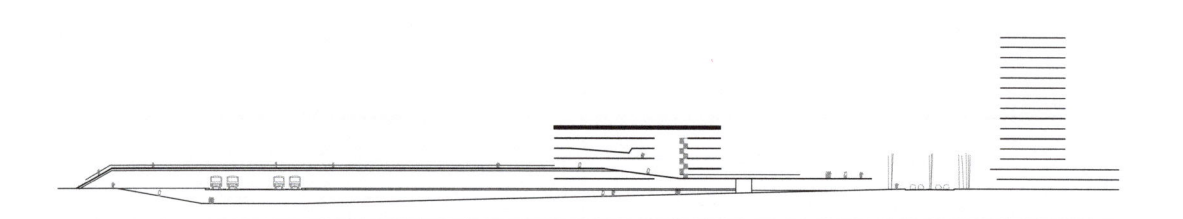

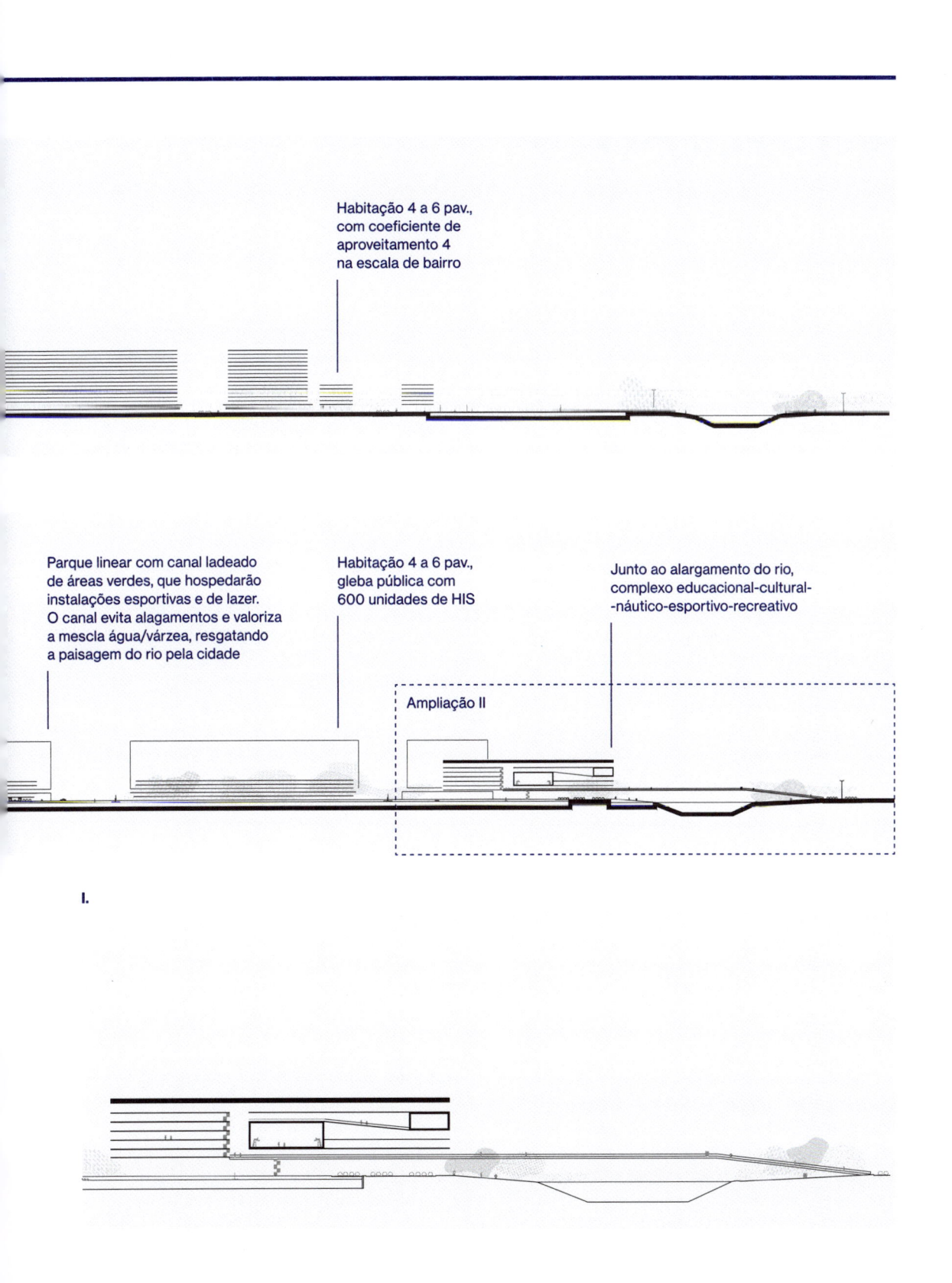

Habitação 4 a 6 pav., com coeficiente de aproveitamento 4 na escala de bairro

Parque linear com canal ladeado de áreas verdes, que hospedarão instalações esportivas e de lazer. O canal evita alagamentos e valoriza a mescla água/várzea, resgatando a paisagem do rio pela cidade

Habitação 4 a 6 pav., gleba pública com 600 unidades de HIS

Junto ao alargamento do rio, complexo educacional-cultural- -náutico-esportivo-recreativo

Ampliação II

I.

PROJETOS VISUAIS

O importante eixo de trabalho encabeçado pelo artista plástico João Nitsche em parceria com seus irmãos dentro do escritório funciona como motor de discussão e debate do fazer projetual ao mesmo tempo que se alimenta das formas de comunicação dos processos arquitetônicos.

Em "Escala Urbana", a ampliação de um elemento ordinário para medição (uma fita métrica) o transpõe para a cidade pela operação de mudança de escala. O agigantamento desse objeto acaba por se refletir também na sua unidade de medida: o que era centímetro passa a metro, para assim se relacionar com prédios, pontes, avenidas.

O mesmo agigantamento é o ponto de partida para "Eclipse", intervenção em uma empena cega junto ao Minhocão, em terreno expectante para a construção de um edifício. Onze círculos de tinta preta, feitos pelo girar de uma brocha amarrada a um barbante sob um eixo preso na base do muro, exemplificam o método utilizado para o grande círculo de 24 metros de diâmetro que ocupa a empena vizinha. Aqui a mão humana dá lugar a uma plataforma elevatória para criar o desenho circular a ter sua visualização a partir do Parque Minhocão eclipsada pela construção do futuro edifício.

Tendo como base outra empena cega junto ao Parque Minhocão, o trabalho "Empena Viva" reforça a escada do edifício que recebe a intervenção ao se desenvolver com base no desenho arquitetônico do mesmo. Escalas humanas comuns dos desenhos de arquitetura aqui tornam-se personagens em escala real, evidenciados por um corte hipotético no edifício, procedimento da retórica projetual, cuja comunicação do objeto construído é feita a partir de plantas, cortes e elevações.

Os diálogos entre arte e arquitetura evidenciam a forma como essa última conecta-se com a cidade na intervenção "Fluxos", feita por ocasião da X Bienal Internacional de Arquitetura de São Paulo. Idealizada para ser implantada nos pisos do Centro Cultural São Paulo, a instalação consiste em peças brancas de adesivo vinílico de mesma dimensão da sinalização de ruas. Esses elementos se multiplicam e adentram o edifício, criando manchas em diversas direções, não só desafiando os limites entre dentro e fora, mas também questionando a cidade onde o lugar do tráfego e o lugar do pedestre são sempre tensionados.

É a mesma sinalização das ruas que serve de base para o desenvolvimento de um alfabeto completo em "Grito da Rua". Sutis conexões entre os elementos gráficos que conformam as faixas de pedestre criam a possibilidade de um diálogo com a cidade capaz de comunicar em diversas escalas.

Por fim, a intervenção "Picos do Jaraguá", de 2018, a convite do Sesc Pinheiros, , com a utilização de 669 trenas metálicas, o perfil do Pico do Jaraguá, importante marco geográfico da cidade de São Paulo. A ferramenta de medição em "Escala Urbana" traz em outra escala um elemento o qual ela mesma é inútil para medir. Mais uma vez os limites são questionados conforme se tensiona a relação de escalas.

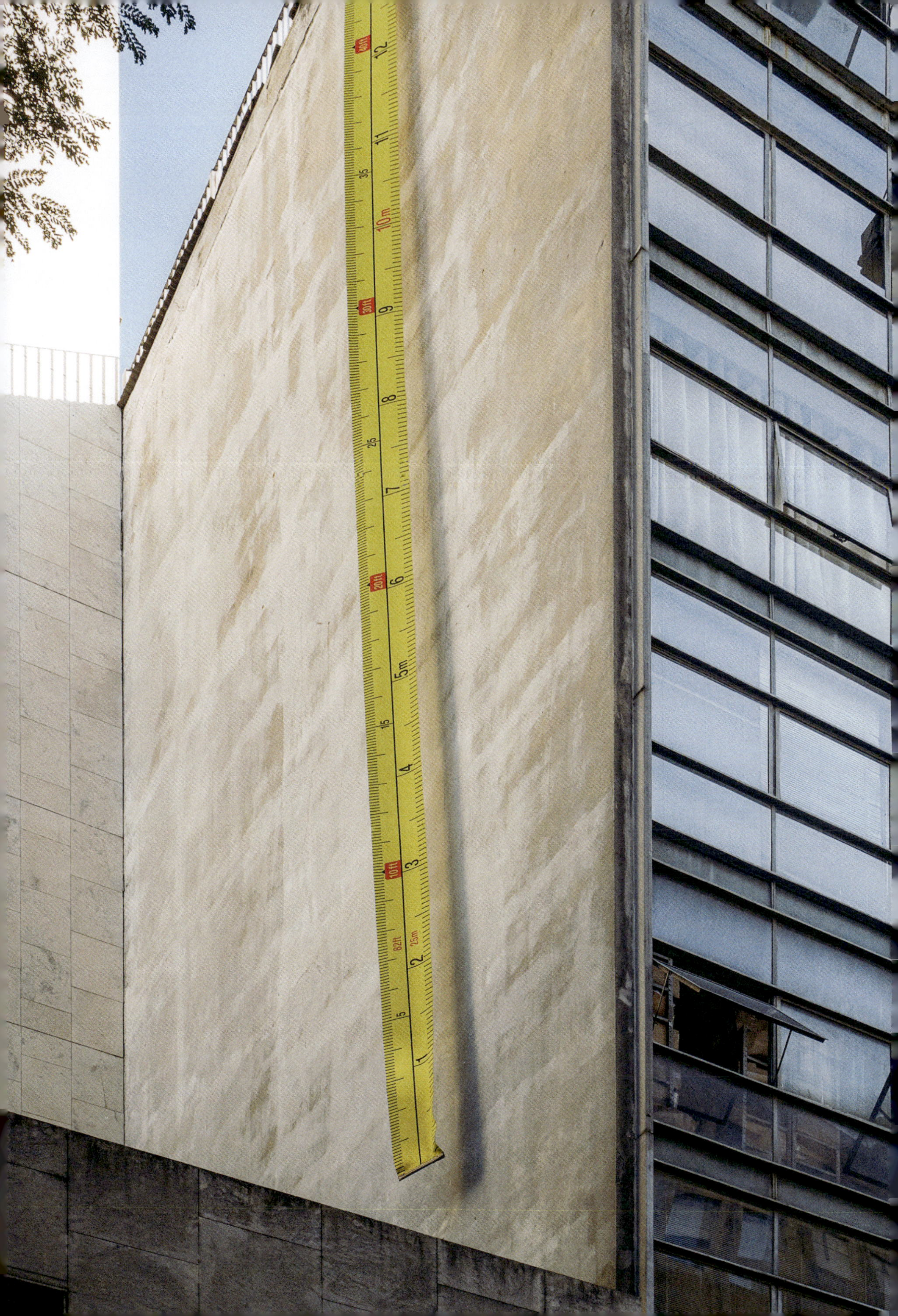
12
11
10m
30ft
9
8
7
20ft
6
5m
4
10ft
3
2
1

**página anterior:
Escala Urbana**

Instalação que ocupou diversos pontos da cidade. Na foto a fita métrica agigantada foi colocada na lateral do edifício onde fica o escritório da Nitsche Arquitetos, na rua General Jardim. São Paulo, SP, 2016.

Eclipse

Intervenção na empena cega de prédio próximo a avenida Amaral Gurgel, eclipsada pela construção de um empreendimento no terreno em questão. São Paulo, SP, 2019.

Empena Viva

Instalação junto a empena cega de prédio vizinho ao Parque Minhocão, propondo através de imagens como poderia ser habitado o seu interior. São Paulo, SP, 2015.

Fluxos
Instalação feita no piso do Centro Cultural São Paulo por ocasião da X Bienal Internacional de Arquitetura de São Paulo. A intervenção trouxe para dentro do edifício elementos de sinalização viária. São Paulo, SP, 2013.

Grito da Rua
Intervenção em uma faixa de pedestre localizada na Vila Buarque. O Movimento Ele Não ou #EleNão protestou contra a candidatura à presidência da República do então deputado federal Jair Bolsonaro. São Paulo, SP, 2018.

página seguinte: Picos do Jaraguá
Painel formado por trenas metálicas na entrada do Sesc Pinheiros. A posição das trenas forma o perfil do Pico do Jaraguá. São Paulo, SP, 2018.

195

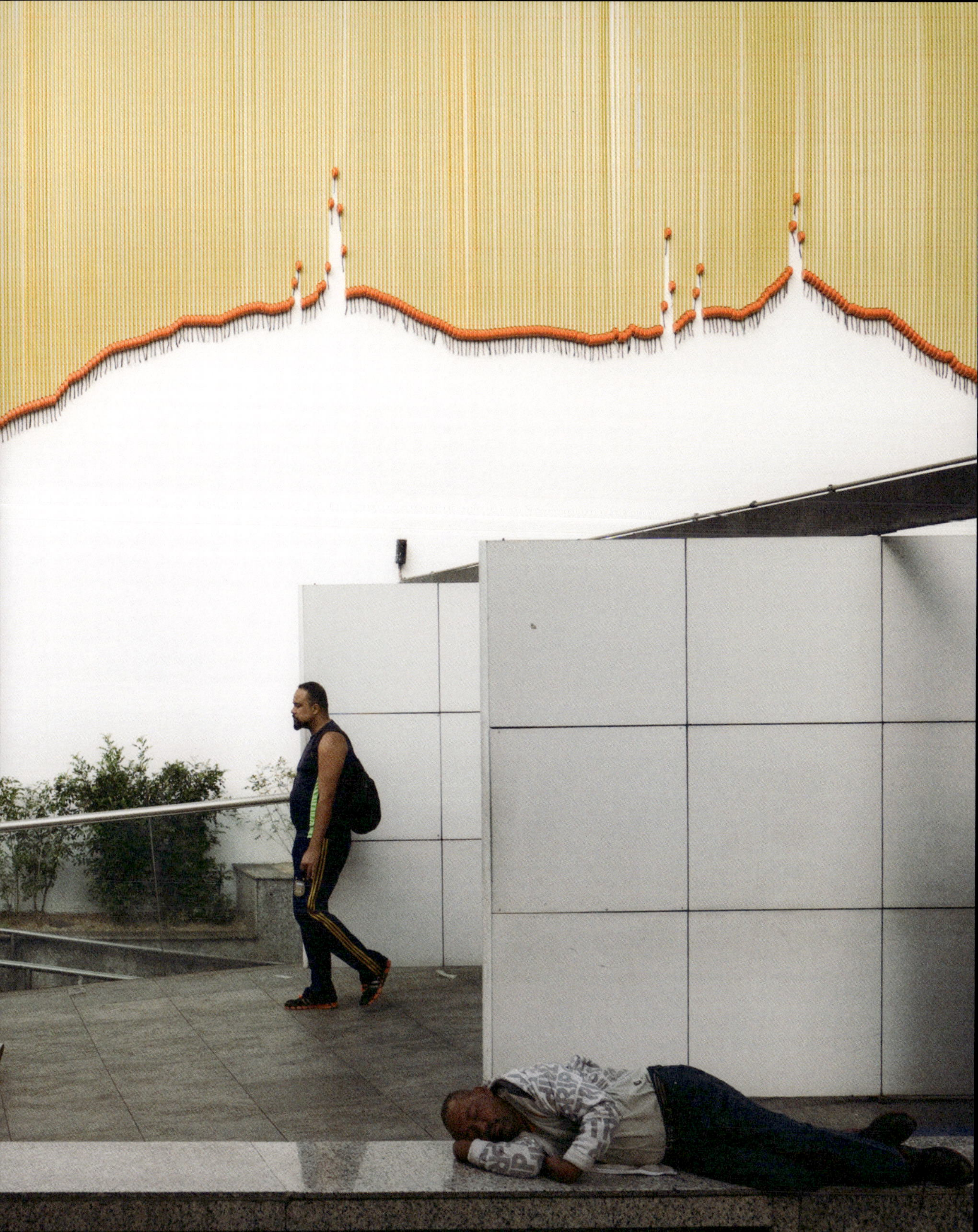

ENTREVISTA

ANDRÉ SCARPA

Lua Nitsche é arquiteta e urbanista pela FAU-USP (1996). Em 2001 fundou a Nitsche Arquitetos. com o irmão Pedro Nitsche, após ter trabalhado nos escritórios: Felipe Crescenti, André Vainer & Guilherme Paoliello e Isay Weinfeld. É professora de projeto na Escola da Cidade desde 2009. Pós-graduada no curso Arquitetura, Educação e Sociedade pela Escola da Cidade.

Pedro Nitsche é arquiteto é urbanista pela FAU-USP (2000). Antes de fundar a Nitsche Arquitetos com a irmã Lua Nitsche, trabalhou nos escritórios: Ruy Ohtake; Construtora Fazer; Edson Elito; Piratininga; Andrade Morettin.

João Nitsche é artista plástico formado pela FAAP (2002). Em 2009 passou a integrar a Nitsche Arquitetos, onde colabora na produção multidisciplinar do escritório, junto com os seus irmãos. Em 2014 fundou o escritório Nitsche Projetos Visuais, onde atua como diretor criativo, designer, fotógrafo e artista multimídia, com participação em diversas premiações, exposições, livros e concursos.

AS Poder voltar a esta mesa aqui para conversar sobre a prática do escritório, depois de um período de distanciamento e após seis anos de colaboração com vocês, é uma oportunidade fantástica. Nesses anos, foi possível entender a fundo pontos de partida, referências, método e, por que não, propostas de futuro para o escritório. Das lembranças mais fortes que eu recordo ouvir vocês trazerem para as discussões de projeto, está a vivência de vocês três na casa da rua Alvares Florence, projetada por Paulo Mendes da Rocha em colaboração com Marcello Nitsche e Carmela Gross. Mas o que me chama atenção aqui é que a casa da Alvares Florence tem uma particularidade que outras casas do Paulo – como a Masseti, a Butantã ou a James King – não têm: ela se desenvolve completamente térrea sem se descolar do terreno. Quando você abre a porta de entrada e a porta dos fundos está aberta também, o terreno atravessa a casa, a casa está sempre no chão. Talvez seja a casa do Paulo mais "casa" de todas. As outras casas quase que podiam ser um apartamento, não é? Se você replicar a planta, elas poderiam ser um prédio residencial. Queria que vocês comentassem um pouco isso, porque acho que essa configuração de casa reverbera na maneira como vocês pensam o morar.

JN Eu provavelmente gosto de andar de bicicleta, *skate* e patins por causa dessa casa. Um piso único, abria tudo e dava para a rua, era continuação da rua.

AS O asfalto vem e sobe na calçada.

PN Mas a dúvida é se a casa fez a gente andar de *skate*, patins e bicicleta ou o estilo de vida paulistano leva a gente à circulação, seja de carro, bicicleta, de ônibus ou mesmo a pé. O quanto o espaço público do paulistano é a rua? Seja manifestação, seja carnaval, seja bar que ocupa a calçada: quanto que o estilo de vida paulistano fez a casa trazer a cidade para dentro?

LN Trazer a rua.

AS Essa conexão da cidade não é conectar a casa com a cidade, mas conectar a cidade com a casa.

PN Tem um vice-versa aí. Quanto do projeto do Paulo não foi influenciado pela circulação, que fez a casa ser fluida e conectada com a rua. Não tinha muro, não tinha portão. O desnível que existe é o desnível que o loteamento abriu, não era o perfil natural.

LN O Paulo teve essa sabedoria. Como a casa era próxima ao rio e lá é uma área de várzea, a casa está mais ou menos um metro acima da rua, foi um aterro. Os vizinhos não estão nessa cota. O terreno teve um aterro de mais ou menos um metro. E, realmente, a rua alaga, os vizinhos enchem de água e lá não entra água. Acho que a simplicidade da casa foi talvez um pouco o meu pai e minha mãe querendo uma estrutura mais simples, mais econômica, porque **essas** outras casas do Paulo de que você falou têm uma estrutura de concreto mais complexa, são mais caras. Daí a casa ficou uma casa bem no chão mesmo, esse chão aí da rua. Acho que ela também é muito transparente, é pequena e não tem corredor, não tem subespaços, espaços de circulação, hall, algumas configurações arquitetônicas que criam uma espécie de caminho.

AS Sem fragmentação espacial.

PN Não tem espaço quebrado ou subespaço, mas, ao mesmo tempo, essa fluidez dela, essa coisa muito direta de transparência e de relação de velocidade que tem, de conexão mesmo entre a frente e o fundo, tudo desimpedido, faz com que a casa também pareça ser só circulação.

AS Seria uma casa que te joga também para viver a cidade, para viver o próprio terreno?

LN É porque tem muitas aberturas. Vista permanente para a rua e para o jardim, transparente e aberto. Dá para abrir todas as portas de vidro. Eu acho que, para mim, esse espaço muito direto, aberto e desburocratizado, com pouca porta, poucos fragmentos, vai modelando o seu jeito de pensar. Eu não descobri isso quando eu estava morando lá, mas hoje, olhando para trás, consigo ter essa leitura.

AS E eu enxergo muito disso na arquitetura de vocês. Essa descrição poderia ser de qualquer uma das casas desenhadas pelo escritório, poderiam estar descrevendo a casa da Barra do Sahy aqui.

PN Essa casa também tem liberdade estrutural, porque é uma grande laje sobre quatro pilares. As paredes não são estruturais.

LN Se a gente quisesse hoje demolir e fazer diferente embaixo da laje, poderia.

AS Poderia alargar a sala hoje.

LN Sim, a vedação é toda independente.

AS Interessante notar que, desses espaços, as relações e as conexões acabam por reverberar muito mais nos projetos da Nitsche, como a gente falou, do que a materialidade. A Lua ressaltou o fato de as duas casas serem de concreto. A escolha de vocês por caminhos diversos do concreto armado apontam para um interesse pelas estruturas leves e pela pré-fabricação, o que destaca o escritório no cenário arquitetônico paulistano desse início dos anos 2000. O que leva vocês a olharem para esse tipo de materialidade, e não para o que vocês tinham vivenciado nas casas, na faculdade, ou no que vocês estavam vendo acontecer à volta?

LN Boa pergunta. Eu acho que a gente estava em busca de um sistema construtivo mais rápido, mais econômico, menos artesanal. A gente estava nessa geração que estava olhando para a dificuldade de fazer o concreto. Estava começando esse discurso da quantidade de madeira que você usa para fazer as formas de concreto, da imprecisão, também. Porque a boa mão de obra do concreto começou a ficar mais cara e mais rara. Para fazer um concreto bom, você tem que ter um carpinteiro bom. Então tem que fazer uma de casca de madeira, colocar o ferro, despejar concreto, e depois, quando você desforma, tem muita imperfeição. O Brasil estava entrando um pouco nessa exploração da estrutura metálica, o Hélio (Olga) estava começando a entender e a propor estruturas de madeira. E as primeiras casas que a gente fez eram longe de São Paulo, então levar o concreto envolvia uma dificuldade construtiva a mais, de mão de obra, de construtora, de betoneira.

Então a gente começou a buscar essas alternativas de peças menores e montagem.

AS Cabe no caminhão, vira na curva da estrada de terra.

LN No caso da madeira pode-se carregar as vigas até no braço. Na estrutura metálica, nem sempre. Acho que tinha esse desejo de viabilizar casas. A Rio-Santos foi aberta em 85. Aí começou essa exploração de construir no litoral. Antes não tinha tanto. Você ia para o Guarujá e eram só prédios. Então começou a possibilidade também de fazer essas casas fora, com uma tecnologia que fosse mais transportável, que não dependesse muito da qualidade da mão de obra local. Você ia montar uma casa de concreto, você ia chamar um carpinteiro local. Aí concretava, estourava a forma; quando você desforma, está a bicheira lá. Daí não tem conserto. E a gente parte dessa escola paulista que quer essa verdade estrutural. Você não quer revestir o concreto, então ele vai ter que ser muito bem-feito. "Ah, mas e se o concreto não der certo?" Não tem segunda chance. O pré-moldado é mais flexível. A gente foi atrás dessa flexibilidade.

AS Interessante ressaltar o fato de essas primeiras casas serem longe, serem casas de veraneio, casas afastadas, e a estrutura metálica ou de madeira pré-fabricada garantia uma precisão no canteiro muito mais próxima do projeto. Você sabe que o Hélio vai chegar lá e vai pôr os pilares a 3,5 por 3,5 por 3,5, vai estar lá.

LN Depois a parede que pode ser feita por um cara do local vai ter o gabarito da estrutura que foi montada antes. E o caixilho pode ser produzido também antes. É que a gente ainda não atingiu esse grau de industrialização no Brasil, por vários fatores.

PN Acho que não tem como a gente não escapar disso que a Lua falou, de uma necessidade. Ou seja, como a gente pode realizar uma casa do jeito mais controlado possível? Acho que o concreto, por ser um processo artesanal, moldável, como argila, parece que você não tem muito controle. A construção industrializada vem acompanhada de pragmatismo, de precisão, todas essas coisas do fabricado também têm a ver com a urgência de poder ser realizável em um certo tempo também medido. Tudo isso dá uma segurança para a gente poder realizar aquilo, ainda mais num momento em que o escritório estava começando.

AS A montagem da estrutura de madeira da casa da Barra do Sahy foi feita em uma semana.

PN É, exato. Igual a quando você fala de geração, porque é uma experiência. A gente vivenciou essas casas mais brutas de concreto, e entendemos que isso não se encaixava mais na nossa geração por mil motivos…

JN É quase medieval, você pensa no concreto e já imagina aquele monte de trabalhador carregando pedra. No final é um pouco isso.

LN É muita água, não é? O concreto envolve muita água na produção. Eu estava nesse começo do debate da sustentabilidade. Essas ideias estavam começando a se infiltrar. Acho que, antes disso, no Brasil também não tinha meios. Estavam construindo com o que havia.

PN A casa em que moramos projetada pelo Paulo era um pouco de exceção nesse aspecto porque meu pai e minha mãe eram amigos dele, também colocaram a casa no chão, pois nem teriam o dinheiro para fazer essas casas suspensas, de muro a muro. Mas, quando a gente vê esse modernismo aplicado nas casas, eu tenho a impressão de que os clientes tinham muito poder aquisitivo. Acho que foi uma mudança social, de geração também, sabe?

PN Na arquitetura modernista, o uso de concreto tem também uma questão simbólica monumental, não tenho dúvida. Brasília, o peso do concreto, do monumento, aquele período do Brasil de ser monumental, mesmo. As casas de hoje, olhando pela produção do escritório, não têm essa coisa monumental, pelo contrário. Elas têm pouca presença, a natureza entra, elas são muito mais leves, você não tem uma coisa imponente.

LN E tem que ter menos impacto da obra no terreno. Se pegar um terreno na Mata Atlântica virgem, aí você também não pode chegar lá, arrasar tudo, montar um "concretão".

AS Você tem que respeitar a área aprovada pela Cetesb.

JN Você passa pela esfera econômica, passa pela questão social.

LN Ecológica.

AS O caminho da pré-fabricação também conduziu vocês por buscas de referências externas ao cenário nacional. Na biblioteca aqui do escritório vamos encontrar os australianos Glenn Murcutt e Sean Godsell, o chileno Mathias Klotz e japoneses como Sejima e Go Hasegawa. Queria que vocês falassem um pouquinho sobre essa pesquisa de referências.

LN O Glenn Murcutt foi o primeiro arquiteto que eu vi fazendo um pouco dessa apologia à arquitetura leve; tem aquela frase famosa dele que você tem que tocar o solo com leveza, que, se você vai construir em um lugar natural, você não quer criar um impacto, que talvez você nem queira que dure. Talvez você queira que, daqui a cem anos, você abandone a casa.

AS Não precisa deixar lá uma pegada.

LN É o inverso do que a gente tinha aqui dessas construções monumentais que, mesmo sem manutenção – tem esse problema no Brasil –, mas a infraestrutura vai ficar lá. A rodoviária de Jaú, a FAU, a garagem de barcos estão lá até hoje. Era uma construção feita para aguentar todos os trancos sociais. Essas casinhas não. Glenn foi a primeira pessoa que ouvi falando: "Não, pode ser uma coisa leve e pode ser que não dure para sempre, isso também pode ser interessante para a natureza". Ele explorava muito essa linguagem. Aí ficava vendo os encaixes, as saídas de água do telhado, aproveitamento da luz natural, fazendo sempre uma casa muito sintética e sempre aproveitando com muita economia os recursos naturais. Acho que foi a maior influência.

JN Vi recentemente uma matérian sobre o Japão, não sei se vocês viram, que eles incentivam demolir.

AS Até o edifício cápsula está sendo demolido, e as pessoas preveem que as coisas sejam demolidas. Acho que é uma consciência de que a arquitetura tem um prazo de validade também. Na experiência de campo da construção, existe muito de você entender o peso das coisas. Quando você está no desenho e faz uma peça metálica de dois metros com três centímetros de espessura, você não a vê dobrar. Mas, pegando nela, você a vê dobrar, você vê o quanto ela é pesada.

PN Sim, em todas as ferramentas. Você está falando de peso. Você vê o carpinteiro trabalhando, você vê o marceneiro, várias soluções de marcenaria que você fica horas e horas pensando. Esses laboratórios que fazem maquete, por exemplo, têm um passo a passo que eu achei muito legal, de como você deve proceder para fazer uma maquete. Eles falam para você não ficar muito tempo no projeto. Então, você fica mesclando o projeto com a execução.

JN Existe uma simultaneidade importante no processo de projetar e construir. Desenho e prática se misturam, não é?

PN É, porque às vezes você entra em um labirinto racional de como aquela solução pode acontecer da melhor forma, sendo que a prática pode abrir outras possibilidades, pode te iluminar de outro jeito e vice--versa. Não pode ficar nem muito tempo em um, nem muito tempo no outro. Essa é a dica do laboratório de maquetes.

JN Uma conversa com o mestre de obras sempre melhora o seu desenho.

AS Enxergo que o percurso da Lua também influenciou a linguagem do escritório. Se olharmos para a casa do Bob Wolfelnson projetada pelo André Vainer e pelo Guilherme Paoliello, é possível dizer que a Nitsche bebeu dali. Mas o primeiro escritório que você vai trabalhar é o do Felippe Crescenti.

LN Sim, o Felippe tinha um escritório lindo, projetou junto com Pedro M. da Rocha, um lugar superagradável. Aí tinha isso, fazer um desenho, prancheta, ampliar banheiro, também dobrar papel, tirar cópia, organizar amostra; era conhecer o ambiente. Conheci o Vinícius (Andrade) e o Marcelo (Morettin) lá. Tem esse aprendizado de equipe, de você encontrar colegas legais no ambiente de escritório. Você entra no escritório, conhece outras pessoas que têm mais experiência, e você também aprende com elas. Esse ambiente era muito fértil, lá no Felippe. E, com o André e com o Gui, eu aprendi um pouco essa coisa da prática, de saber o que a obra precisa, de não ter muita frescura de detalhe, de incorporar coisas da indústria no projeto, de uma forma às vezes inusitada, às vezes comum, mas muito pé no chão. A maçaneta é a maçaneta, escolhe o modelo. A torneira era linha prata, sabe? Não tinha esses requintes de fazer o acabamento ser o protagonista da arquitetura, era o contrário. Como fazer um bom espaço, uma estrutura às vezes leve, econômica, com materiais aparentes e mesmo assim fazer uma casa agradável. Eu aprendi muito isso. Aí depois, no Isay (Weinfeld), eu aprendi o oposto. Como chegar ao máximo do detalhamento para um grau de refinamento e sofisticação na obra, de altíssimo padrão e qualidade que pressupõe uma execução impecável. Então acho que as três coisas se complementaram.

AS Ouvir vocês falando sobre a experiência na construção, esses apontamentos do André e do Gui, de pedir as respostas para a construção, para o mercado, me lembra estar desenhando aqui, e a gente deixar algumas coisas em aberto para perguntar para quem vai fazer o caixilho, que pode ter uma solução que talvez a gente não esteja vislumbrando. Evitar gastar energia criando um detalhe que vai ser mais difícil, mas se pautar pela experiência dos fornecedores.

LN Isso é uma das marcas mais importantes do escritório, André. Eu não tenho segurança ou arrogância de falar: "eu sei resolver esse detalhe, vou inventar um detalhe que ninguém nunca inventou". Eu não tenho muito essa preocupação; eu prefiro conversar com o fornecedor, com a indústria, conversar com o serralheiro ou com o cara do caixilho e entender quais são as peças que ele tem, o que ele consegue fazer para responder a uma determinada coisa, e talvez a gente chegue em uma solução inédita. Mas esse não é o princípio: "vou fazer uma casa onde tudo vai ser inédito, ninguém nunca fez isso". É meio o contrário. Vou me informar de como isso é feito e como a gente aproveita bem, como a gente vai encaixando essas coisas que já existem, porque acho que a gente conhece pouco.

AS Poder transitar por isso e juntar essas soluções, gerir essas soluções, intercambiar e não ter que dar uma resposta final sempre, porque com essa abertura é que você vai criar coisas novas, sabendo utilizar as coisas que estão disponíveis.

LN Por isso que eu tenho uma resistência de entrar no Revit. O Revit vai ser o oposto disso. Ele vai falar: "você arquiteto vai desenhar o perfil do alumínio desse caixilho, você vai desenhar essa maçaneta, essa calha, esse parafuso, para depois tudo isso já ser o modelo 3D que já é a casa pronta", ou o edifício, qualquer coisa que já seja construída pronta. Acho que no escritório dá para estabelecer alguns parâmetros para aquela obra, os eixos, a estrutura metálica ou de madeira, o caimento do telhado, mas depois tem uma parte importante que é você vivenciar a obra e descobrir outras soluções com os fornecedores, outras soluções quando você visita. Dependendo do estágio em que você visita a obra, você também muda um pouco de ideia.

AS Na casa da Praia Vermelha, abrimos novos vãos visitando a obra e entendendo como a estrutura se relacionou com a mata no entorno.

LN Você vai lá e às vezes fala: "Aqui eu quero abrir um vão, aqui eu quero outro material", e então você vai atrás do material. Se você já está com tudo programado, 100% programado, acaba essa graça.

JN Mas acho que isso tem a ver com a demanda do mercado de hoje, sabia?

LN É tipo tocar jazz, dar uma improvisada. Não é uma música eletrônica sintetizada onde estão todas as notas programadas.

AS Entendo que no BIM existe uma coisa da leitura dos complementares ser facilitada: "Esse cano vai bater aqui, esse ar-condicionado desce aqui"...

PN Acho que a inteligência seria fazer essa imagem um pouco depois do processo criativo.

No processo criativo, na concepção, você pode errar bastante, mas tem um momento em que você tem que definir. Quanto mais esse momento puder ser postergado, melhor. A gente definiu algumas aberturas da casa da Praia Vermelha quando a gente pisou no nível em que a estrutura estava, que era imprevisível. Não tem 3D que pudesse dar essa informação para a gente, porque é a vivência de você estar em um piso que não existia no momento do projeto.

AS Você não ia fazer a Mata Atlântica do 3D.

LN E a arquitetura produzida hoje é muito ligada às incorporadoras. Quem está construindo alguma coisa sem ser uma casa particular é dessa forma. Quantos arquitetos estão construindo alguma coisa que não seja de incorporadora? E é a incorporadora que tem essa preocupação da venda, do capital, do investidor, que vai ter um retorno. Poucos estão construindo uma faculdade, uma escola. Num bairro, uma praça pública, um centro cultural. São raras essas oportunidades.

AS Isso tem a ver também com o fato de as pessoas desse mercado estarem gerindo os cronogramas. Elas desconhecem ou simplificam a parte do projeto criativo do arquiteto. E correr com processos que poderiam ter tempo para desenvolvimento vai gerar erros, refazer coisas, gastar o dinheiro que você poderia não ter gastado ou ter gastado melhor.

LN Quem está fazendo obras para o mercado imobiliário está fazendo prédio nos padrões A, B e C que já estão no Plano Diretor. Quem está fazendo casas explora uma coisinha ou outra, mas a dimensão, a própria escala da casa é pequena. Nesse ponto de vista, a profissão está um pouco pobre de discussão, de explorar e investigar.

JN E você pensa como você vai trazer o interesse financeiro para essas outras áreas. Mas, a partir do momento em que você consegue trazer algo novo, o sistema do mercado vai lá e perverte. Igual com o tema da sustentabilidade, que virou um *status*.

AS O sistema absorve e usa de novo como imagem, como *marketing*.

JN É muito cruel, você não sai desse *looping*. Você tem que procurar um viés fora para demolir, implodir isso, porque dentro dele é difícil reconstruir, porque ele absorve e perverte. Tudo isso que a gente está falando de cortar do processo, que não chega no melhor resultado, não tem a exploração necessária, corta o improviso do jazz. Isso deveria também fazer parte da nossa criatividade, a gente deveria achar uma brecha apesar disso tudo.

AS Isso tem que entrar como um dos fatores do projeto, como a inclinação do terreno, como a falta de dinheiro do cliente. Talvez aí esteja o pulo do gato. A Nitsche Arquitetos apresenta um ambiente criativo próprio, e muito disso é devido a presença do João e sua equipe desenvolvendo projetos de arte e comunicação visual no mesmo espaço. Na ocasião da exposição retrospectiva do Marcello Nitsche no Sesc Pompeia, foi possível ver como os interesses pelos signos urbanos e por uma linguagem presente na prática projetual (cotas, setas, letra caixa) permeavam o imaginário pop do Marcello e reverberam na produção do João. Como vocês enxergam os reflexos da produção dos seus pais, Carmela Gross e Marcello Nitsche, na atividade de vocês hoje? Pergunta ao artista.

JN No começo, não me dei conta, fui perceber depois como tinha coisas muito parecidas. E é engraçado porque a gente não busca aproximação. Nessa época, você quer se distanciar mais, e foi ao contrário, quanto mais me distanciava, mais ia vendo que era parecido. Meu pai e minha mãe têm uma vivência de arte ligada à cidade e a uma prática de produção quase que industrial. Essa vivência com a cidade e seus meios de produção é essencial. É um ambiente muito dinâmico, daí tem aquela coisa que o Pedro falou da vivência da prática na cidade, na obra ou com o construtor, da troca de experiência, como isso muda o seu jeito de olhar e projetar. No projeto, você busca meios de representar as ideias para o outro poder executar. A sua representação gráfica tem a ver com quem vai executar o seu projeto lá na frente, com a ferramenta que ele vai usar.

AS A maneira como você comunica tem muito a ver com quem vai receber essa mensagem.

JN Tem, é um diálogo. Sempre tem esse equilíbrio do quanto você está usando a ferramenta e o quanto você está sendo usado por ela; o equilíbrio de quanto ela é potência para você e o quanto você já está se tornando escravo dela.

AS Nesse reconhecimento, tem muito do processo criativo de olhar para coisas desconhecidas ou tentar coisas que não se pensaram, se permitir olhar: "talvez não faça o mínimo sentido aqui, mas, de repente, se transpor para outro campo, pode funcionar". Como amassar o papel e dobrar, e voltar com ele com um padrão que saiu de um desenho que já estava nele. Me recordo de os seus processos no escritório serem algo que alimentava inclusive os processos de trabalho para projeto. Ter você e a equipe puxando para outras coisas, trazendo outras discussões, era uma colher misturando a sopa do escritório, não ser só arquitetura, só projeto, só construção.

JN É legal essa experiência que você falou do espaço aqui do escritório, pois é importante que diferentes práticas se misturem; acho mais interessante que as fronteiras não sejam tão demarcadas, ou pelo menos que elas sejam mais flexíveis.

AS Outro ponto interessante é serem dois artistas com um convívio muito forte com arquitetos. Marcello e Carmela, a casa do Paulo, a casa do Zanettini, a amizade com o Paulo e outros arquitetos da época.

JN De vez em quando fico achando que estou bem no meio do caminho, entre o Pedro e a Lua, e entre o meu pai e a minha mãe. Quando eu me formei na faculdade, eu era mais próximo das artes plásticas. Só depois, quando eu me aproximei mais do escritório, que fui indo para o lado da arquitetura e do desenho técnico. O que fez o *link* na produção foram esses dois universos se interseccionando.

AS E é justamente esse um outro diferencial do escritório. Quando se vê a produção da Nitsche, vemos essa dinâmica envolvida, de estar aberto a essas pesquisas fora dos campos da arquitetura.

PN Falou-se que não tem metodologia, mas talvez essa seja a metodologia. Talvez, para você chegar em algum lugar, seja necessário você variar as metodologias, não é?

JN Outro dia, desenhando um painel de ladrilhos, reparei nisso e pensei que eu passo mais tempo pensando em criar metodologia de produção do que criando o resultado final.

AS Criar a ferramenta para atender à minha necessidade.

JN E não importa muito o resultado, é mais interessante a criação dessa metodologia, da ferramenta que a gente criou para poder testar vários painéis, do que o painel em si. Quando nos chamaram para fazer uma linha de ladrilhos, que até hoje eu não fiz, eu pensei: "eu não gosto de desenhar ladrilho, eu gosto de desenhar com ladrilho". É um pouco isso, a gente gosta de criar metodologias para poder absorver os outros materiais e subverter eles.

AS O destino final já não importa tanto, o que importa é a jornada. A gente está falando de arte e tem outro fator que envolve arte: a Nitsche é conhecida pelo público como um escritório que usa muito a cor. A gente falou do ambiente diferente do escritório pela presença de pesquisas criativas em outros campos além da própria arquitetura, e um dos resultados visíveis nos projetos é o uso da cor, não só resultante das escolhas dos materiais, mas a escolha de cores mesmo.

JN Eu não estudo cor, não posso falar se aqui é melhor um azul ou vermelho, mas posso falar sobre a construção da cor. O projeto passa por isso, pela intenção da cor, qual a sua intenção dentro do projeto, o que você quer com aquela cor dentro do projeto. A parte mais técnica, que é transformar aquela sensação, desejo e intenção em realidade. Ou seja, você tenta transmitir uma sensação através de um catálogo, ou qualquer outra ferramenta do gênero. O pantone, por exemplo, não existe, é uma representação de cor, ela não existe no mercado. Você não compra uma cor pantone, é uma referência, é um código, uma ponte entre a imaginação e a realidade.

PN A cor pode, de repente, reforçar algo no projeto, fiquei pensando na circulação, a escada vermelha do Masp. Vou reforçar porque acho que um x aqui, vermelho, quero reforçar essa circulação, quero reforçar essa escada em rampa...

JN Ou o inverso, sumir com aquilo.

PN Ou sumir. "Vou sumir com a caixa d'água, vou pintar de preto"; tem uma intenção muito racional e objetiva nesses dois casos: eu tenho essa intenção, vou reforçar; ou tenho essa intenção, vou sumir. É uma coisa muito mais sutil. Às vezes você quer passar uma sensação que nem você direito sabe qual é, com uma luz que você também não consegue direito definir. Você vai ter que experimentar e é na hora de experimentar que vale o reportório da cor.

JN Eu gosto porque a tinta é o limite entre o abstrato e o concreto. Ela é totalmente abstrata, é onda luminosa, visível e invisível, só que ela é concreta, porque tem peso, é uma matéria, ela tem custo, você passa aquilo na parede e ganha espessura, mas ao mesmo tempo não tem, é só visual. Um projeto com cor ou sem cor só faz diferença para o seu olho, teoricamente. Ela é uma matéria que provoca uma sensação.

AS Mas, ao mesmo tempo, você já conseguiu distorcer um prédio inteiro com tinta.

JN Já. Você constrói e desconstrói com a tinta. Por isso eu não gosto muito de entrar no aspecto de qual cor e sim de onde vai se usar essa cor. A gente nunca vai saber os resultados se pintasse a viga de Iporanga de mostarda, mas talvez ficasse um efeito tão bom quanto. Para mim, o mais importante é ter escolhido uma cor para destacar o elemento metálico. Nós fizemos isso no Edifício João Moura, todo um estudo cromático para a fachada com cor fria e todo um estudo de cor interna com cor complementar quente; então, à noite, o prédio acende e fica mais amarelo por dentro e mais azul por fora. Eu tento me afastar um pouco desse aspecto do gosto para entender a função que a cor tem. Horas ela desconstrói, para se camuflar e desconstruir um ambiente que você quer conformar visualmente.

LN Na arquitetura, geralmente a gente não coloca cor nas coisas. A gente evita coisas que têm de ser pintadas. A gente trabalha com vários materiais naturais, piso de cimento ou de pedra, madeira, mas quando chega em estrutura metálica, você tem que pintar porque vai ter marca de solda, ela vem galvanizada, precisa ser protegida por uma pintura. Daí você vai ter que pintar.

AS Ou seja, te dá uma oportunidade de escolha.

LN Você vai ter que escolher. O mesmo acontece na compra de um material de fachada tipo do João Moura, um painel da Pertec ou uma tela Soltis, que vai ter uma cartela de cor. Ou quando faz-se uma piscina, vai ter que revestir, vai ter muitos materiais e muitos eles vão ter cor. É a hora em que a gente aproveita a oportunidade para inserir a cor. É raro a gente pegar uma coisa que tenha que ser pintada, ou um material com uma paleta de cor variada, e escolhermos um tom neutro.

AS Falando em materiais e retornando à pré-fabricação, eu enxergo duas intenções nas escolhas do escritório, a modulação da estrutura aliada a uma liberdade de planta que garanta versatilidade de uso e um apreço pelos sistemas desmontáveis, móveis, não definitivos, o parafuso em vez da solda, o rodízio no lugar do pé fixo. Soluções que se estendem na escala do edifício até o desenho de mobiliário. Eu gosto de pensar que a sustentabilidade está nessas escolhas também, você não fazer uma coisa fixa, você fazer uma coisa desmontável.

PN A gente chegou à conclusão de que não fixar as coisas tem a ver com deixar soluções para o fim, é uma margem de manobra que tentamos deixar para o projeto. Talvez um pouco do segredo seja a gente ir definindo onde que podemos deixar essa margem de manobra. Escolho colocar o rodízio, porque de repente eu mudo de ideia e posso deslocar aquele móvel para outro lado. Se eu deixar a planta flexível, eu posso trabalhar os usos.

LN Essa coisa da montagem também tem a ver com a perspectiva de você poder trabalhar com módulos, às vezes você entra em discussões em projeto de casa com os clientes: "E se eu fizer mais um módulo? E se eu deixar previsto que eu vou fazer mais dois módulos?". A modulação e a racionalização com que estou trabalhando têm módulos de 1,20 metros ou 1,25 metros, esses módulos geram economia e eficiência em várias escolhas, no forro, no painel de vedação, no drywall. A modulação significa menos corte na obra, então você vai ter uma montagem mais rápida e mais fácil, menos desperdício. Agora, na prática, a gente nunca viu alguém desmontar uma casa em um lugar para levar para outro...

PN Na natureza é difícil a gente ver uma modulação que não tenha variação. Então, por algum motivo, cartesiano, vamos fazer uma modulação e a variação vai ter que caber dentro da modulação, também tem um engessamento, apesar de ela dar liberdade para a gente fazer várias escolhas de materiais que respeitam a modulação, por outro lado, quando você quer variar, você está meio preso ali. A racionalidade é um pouco contraditória.

LN Mas se você quer construir com estrutura metálica ou de madeira, modulação vai ser muito favorável, porque a vedação vai vir desses componentes da indústria, mas, se você for construir em concreto, esse discurso não é válido, é outra linguagem, você pode explorar os vãos independentemente de estar em algum tipo de restrição modular.

AS Se olharmos para várias obras que vocês fizeram, a gente está vendo isso realizado. Num momento temos uma grande cobertura resolvida de maneira modular, garantindo o melhor uso e eficiência dos materiais e das medidas que esses materiais têm para, então, com outra liberdade, conformar o ambiente sob essa cobertura.

PN Existe uma conciliação difícil de fazer que é entre o ser muito bom modular e, por outro lado, tomar cuidado para ela não ir até o limite e ser ruim ao mesmo tempo.

LN Mas você pode encarar modulação quase que como uma obrigação, uma consequência direta de todo o processo da cadeia industrial. Extraem o mineiro de ferro, derretem, extrudam a viga, cortam, colocam no caminhão que tem doze metros; se você racionaliza a construção, entendendo essa cadeia, vai ser muito favorável. Podemos falar: "bom, um jardim não é produzido dessa maneira, um jardim não tem componentes industriais. Então, no jardim você pode ter uma flexibilidade, uma não modulação". Quando você entende a produção das coisas, a própria madeira do Hélio, laminada, serra vários eucaliptos, cola, passa em uma máquina, corta reto, não dá pra falar: "não, agora vou fazer em curva, porque eu não quero cair na modulação". A modulação arquitetônica nesses casos é quase como o momento final que pontua e é coerente com o processo, com toda a sequência.

AS Ainda sobre os materiais, há uma pesquisa do escritório por soluções amplas para responder aos projetos. Eu lembro que a tela náutica perfurada aparece como elemento na reforma da residência do Jardim Paulistano e, então, entra para o ferramental de soluções do escritório. Praia Vermelha, Jurumirim, Guarujá, entre outras residências, vão apresentar essa solução. Lembro de, em Portugal, o arquiteto Eduardo Souto Moura buscar uma casa ideal, testando e não tendo problema em repetir as soluções, porque ele encontrou soluções ideais e aquilo vai avançando. Vocês acham que a Nitsche busca essa casa síntese?

LN Eu acho que sim, eu não tenho problema em repetir assim, eu não acho que casa tem que ser uma inovação. A gente está vivendo de fazer casas, a parte de arquitetura está muito dependente de projetos de casa, eu tive um pouco de crise com isso, porque às vezes eu pensava: "nossa, mas eu queria fazer outras coisas além de casa e também outras coisas além de prédio". Mas está complicado, a gente está nesse momento histórico onde em São Paulo essas oportunidades são muito raras; então eu penso: "eu posso repetir aquela solução, mas como o terreno é diferente, o sol é diferente, a fachada vai mudar, vou escolher outra cor, vou escolher um outro material"; temos algumas repetições e a gente tenta, não digo chegar em uma casa síntese, mas usar soluções sintéticas somadas ao que a gente já desenvolveu.

PN Tem aquela coisa de tentar deixar uma margem para variação, como se a gente pudesse escolher a modulação ideal para caber um quarto confortável, mas, dependendo do terreno, a gente dispor esses ambientes de uma forma diferente.

AS E dentro desses sistemas você pode ter versatilidade. Nas etapas do projeto existem coisas que não são sistemáticas justamente porque a gente está falando de terrenos com diferentes fatores exteriores. Por exemplo: a casa de Piracaia tem uma estrutura que é modular, mas que está apoiada em um corte do terreno que não é, o qual inclusive foi feito em concreto para receber essa síntese estrutural. Aqui entra a ação do arquiteto de ter a sensibilidade para reconhecer onde trabalhar com módulo, com tamanho, com certeza, e onde deixar margem para se adaptar à situação, para tocar nesse chão e daí tornar isso viável. Senão vira uma impressora de casas.

LN Se a gente for ver essa repetição, encontrar essa casa ideal, esse sistema, ele até faria mais sentido para construção da habitação urbana, que também é bem precária, habitação barata na cidade é uma arquitetura muito ruim, com aberturas pequenas, com paredes de bloco estrutural, você não pode juntar ambientes, aquela mesma casinha padronizada até hoje, os quartinhos, uma microárea de serviço, microcozinha. Então, por mais que a gente esteja desenvolvendo muito esse método nas nossas casas, seria muito legal se isso fosse transposto para as construções dos prédios residenciais da cidade.

AS Isso é muito bom, porque é justamente a minha próxima pergunta. Da escala das casas saltamos para os edifícios. O João Moura apresenta soluções testadas em obras menores e ao mesmo tempo propõe pensar as conexões da cidade de forma propositiva. Como esse edifício surge no panorama do escritório e como pauta a postura de vocês perante a incorporação imobiliária?

LN Justamente quando chegamos em um lote urbano que liga duas ruas, a João Moura com o escadão de cima da Cristiano Viana, vimos a oportunidade dessa conexão urbana, que tinha esse paralelo com o viaduto, que não é uma conexão muito própria para o pedestre. O João Moura é uma oportunidade de fazer a ligação desses dois níveis por dentro do edifício, com térreo livre, com térreo suspenso e depois outro térreo livre. Outra coisa que eu acho que é legal do João Moura, e que seria desejável em todos os prédios de qualquer cidade, é que ele tem a planta livre, então, tem uma estrutura periférica, os pilares estão perto da fachada, a laje é livre, protendida, tem um pé-direito mais generoso do que o usado em residência, porque é comercial e ele tem flexibilidade, tanto que ele foi construído para ser para vários locatários e, no fim, virou sede de uma única empresa, que se aproveita dessas áreas comuns, desses espaços abertos. Então, para mim, formou um paradigma de poder fazer um projeto que dá para construir, em São Paulo, para o mercado imobiliário de uma forma que você garante algumas generosidades para a cidade, mas depois a gente não teve outras oportunidades.

JN Há pouca oportunidade de se envolver em planos de praças, de grandes eixos urbanos, mas o caso do João Moura não deixa de ser uma oportunidade de se tentar, minimamente, trazer alguns benefícios, desde misturar tipologias, fachada ativa, a gentileza, recuo generoso. São detalhes que permitem tentar, de certa maneira, ter um desenho urbano melhor.

LN Falta essa ferramenta urbana, a gente vive em São Paulo e a gente sempre está de olho na cidade, não estamos projetando grandes coisas em São Paulo. A Rebouças é uma avenida que está sendo reconstruída, se você pegar a foto dela em 2000 e uma em 2030, vai ser outra avenida em termos de construção vertical. Agora, eu acho que a gente perdeu uma oportunidade de reconfigurar esse térreo inteiro, esse primeiro quarteirão da Rebouças poderia ter sido pensado imaginando qual é o térreo que a gente vai querer nesse eixo viário tão importante. Não sei em que instância a gente faria essa discussão, se é na prefeitura, se é com os incorporadores. Cada incorporador vai criar dentro da regra, com sua fachada ativa, mas essa noção de conjunto linear ou de uma estrutura linear urbana se perdeu, não alcançamos.

AS E isso tem a ver com uma perda de fé nas ferramentas de legislação da cidade, a gente nem pensa em tentar mudar isso.

LN A gente não tem instrumentos claros de ação.

AS Perdemos a cultura de levar essas discussões a público para novas mudanças. E com isso perdemos oportunidades importantes de inovação. Hoje é impossível se construir algo como o Conjunto Nacional, por exemplo. As leis do código de obras não atingem mais discussões na esfera pública.

PN Acho que a explicação é cultural, vem da nossa desigualdade social mesmo, não queremos espaços que promovam mistura.

LN Falta esse diálogo em que o incorporador aposte mais no arquiteto como um conhecedor de cidade.

AS Que voltou a existir num momento, por exemplo, quando o Edifício João Moura foi construído. A incorporadora Idea!Zarvos estava apostando em novos talentos de jovens arquitetos. Eles se mostraram abertos para essa experimentação.

LN Sim, e são momentos únicos, raros. Tinha vida na rua. A Vila Madalena foi um dos primeiros lugares, depois das crises dos anos 80, onde começaram a surgir novamente estabelecimentos abertos para a rua.

AS Existiu um momento de repercussão do sucesso dessa postura de incorporar com arquitetos que foi muito positivo. Isso trouxe novamente um movimento de olhar para a arquitetura como uma qualidade do empreendimento, e não como um problema que vai deixar mais caro ou lucrar menos. Vimos várias outras incorporadores surgirem com esse mote da arquitetura também. Por outro lado, o movimento se estagnou em soluções que deram certo, experiências que foram mais lucrativas. E perdeu-se novamente esse momento de experimentação e abertura para o novo. Em paralelo às atividades do escritório, Lua tem uma atuação no ensino de arquitetura como professora da Escola da Cidade. Tratando-se de uma entrevista a ser publicada pela editora da Escola da Cidade, como você avalia a participação de arquitetos com atuação projetual nas instituições de ensino, e como são os arquitetos que no futuro vocês querem ver atuantes na sociedade? Que arquitetos vocês planejam formar?

LN Essa é uma pergunta que circula dentro da Escola: "que arquitetos a gente quer formar?". Eu vejo que tem um trabalho grande na Escola, todos os anos, nas disciplinas de projeto, de fomentar o olhar para a cidade. É muito raro a Escola propor um exercício específico de um projeto como o mercado imobiliário faz, um objeto construído dentro de um lote específico. O aluno vai escolher o lote, mas depois de avaliar o bairro. Ele não precisa se prender a um lote, ele vai pensar um projeto da forma como se conecta, ultrapassando o limite do lote, do quarteirão. Às vezes é uma conexão, uma avenida, uma calçada. A Escola estimula isso para criar nos alunos uma imaginação urbana que não é a que ele vê na cidade. Ele olha para a cidade e fala: "vou imaginar o que eu gostaria que fosse isso aqui". Do jeito que a gente está construindo, só com parâmetros do mercado imobiliário, você fica sem imaginação, você para de pensar. "Então, vou fazer um prédio nesse lote. Qual que é o recuo lateral? Qual que é a altura? Qual que é o gabarito? Fachada ativa no térreo"; você nem olha para o lado, porque olhar para o lado não vai mudar nada, talvez uma vista de algum lugar ou um sol que está vindo do outro lado, mas como entorno a gente é tão impotente, e você acaba tão desligado disso, que você nem imagina mais o que poderia ser, vai normalizando. Na Escola a gente tenta manter viva essa imaginação, de uma cidade mais coletiva, de um térreo que faz essa intersecção entre o público e o privado. Brinquei outro dia que eu queria fazer uma eletiva que se chamaria "Térreo", porque a gente tem pouca vivência de projeto de praça, de térreo, de espaço semipúblico. Os alunos também enfrentam essa dificuldade; ele faz um piloti com térreo livre, só que é um térreo meio abandonado, um térreo que não é nada.

AS Que não tem ativação.

LN Aquele térreo sombreado que não é ativo por nada, não se desenha o piso, os caminhos. Essa interferência entre jardim e piso, fruição e área de contemplação. A gente fica sem repertório.

AS E a Escola deve ser esse campo de experimentação e de eles entenderem a diferença entre um térreo vazio e uma marquise do Ibirapuera. E poder entrar no mercado como um arquiteto propositivo.

LN Propositivo, nem que fique no plano da imagem que depois vai reverberando. Seria legal trazer os trabalhos de graduação dos alunos para fora da faculdade.

AS E para a sua prática profissional, o que a experiência do ensino te traz?

LN É um pouco parecido, porque eu também tenho que fazer esse exercício do que seria essa arquitetura, essa urbanização que não é a de lotes que a gente conhece, de limitação do lote privado, da não integração. E o contato com os jovens, em geral, com novas ideias, nos faz perceber algumas tendências, nuances do quanto essa geração não acredita muito no futuro e tem dificuldade em encarar o projeto como desafio de permanência. E muitas vezes acredita que só são possíveis soluções com participação da comunidade. Quando penso no processo participativo, penso que é favorável, mas também penso que o arquiteto tem que trazer uma coisa na mesa e falar: "olha, eu conheci esse bairro, frequentei, fiquei aqui um mês, estudei, fotografei e acho que isso aqui funciona", e aí trazer para o diálogo todos os representantes locais para fomentar um debate. O arquiteto, diferente do agente social, do médico voluntário, de todo mundo que está lá para criar benefícios, vai ser o único que vai conseguir ter um plano desenhado. E é uma responsabilidade, à qual muitos alunos respondem: "mas eu não quero impor o meu projeto". Ao mesmo tempo, como é que você vai dialogar se você não fizer um desenho, uma proposta? O projeto é uma ferramenta de diálogo.

AS Para a gente finalizar esta conversa, queria perguntar para vocês um desejo de projeto futuro, uma visão de futuro.

LN Eu tenho um desejo bem concreto, prático e simples, o projeto da praça da Vila

Buarque (Praça Rotary); agora as máquinas estão abrindo lá a galeria do córrego do Anhanguera de novo. Dá um pouco de angústia, porque a gente levou o projeto na SP Urbanismo, conversou, na Sabesp ficou um ano conversando sobre água, sobre córrego. No quarteirão da praça, a rua Cesário Motta não tem entrada de carro, de garagem. Seria muito legal ter um trecho de água nessa parte integrada à praça. Para mim, é um sonho realizar praças em São Paulo, acho que é o meu maior desejo.

JN Eu sou menos objetivo, menos prático, mais filosófico; um projeto futuro é poder continuar tendo oportunidades de fazer projetos.

LN Por isso que tem que treinar, na escola de arquitetura os caras têm que treinar. "O que você quer no futuro?" Eu queria fazer projetos ligando a Praça Rotary ao Iate Club de Santos e ao parque Buenos Aires, ao parque Augusta e à Praça Roosevelt, passando por cima do Minhocão e chegando ao parque da Água Branca e ao largo Santa Cecília, à República, costurar o centro com esses espaços públicos.

PN Nesse trajeto que vocês falaram, falta muito a prioridade ao pedestre. Precisa haver uma inversão de prioridade, o carro perdeu um pouco da prioridade com a ciclovia e tem que perder muito mais, porque quem dirige o carro deve entender que está em uma cidade mais amigável.

LN Também tenho esse desejo de fazer uma discussão do Plano Diretor a partir da morfologia urbana, que morfologia queremos. Os grandes eixos (as avenidas) poderiam ser prédios grudados sem recuo, de oito andares, com térreos abertos com serviço, com programas, com passagens e caminhos. Tanto no Minhocão, que é um corredor, quanto na Rebouças, quanto em outras avenidas, seria interessante fazer do primeiro quarteirão um térreo de conexão com as outras ruas, por exemplo, Angélica com Consolação, rua dos Pinheiros com Rebouças, pensar que nesse primeiro quarteirão teríamos um térreo com grandes calçadas, com grande espaço coletivo, ativo e aberto. Eu queria criar um Instagram, chamaria Visões Urbanas, onde colocaríamos todos os projetos que passassem pela cabeça, mas que não fazemos por falta de tempo. Queria ter uma equipe no escritório e montar, fazer umas fotomontagens, desenhar para falar: "olha aí, já imaginou se na Rebouças a gente tivesse feito um calçadão de quinze metros de cada lado?". Também tenho esse sonho, todo arquiteto acho que tem, de ver os rios de São Paulo limpos, reduzir a marginal pela metade já seria bom; metade da marginal viraria parque e a outra metade segue o carro. Está trânsito? Pega o trem, vai a pé ou de bicicleta.

AS Gostei muito de montar esta conversa, porque revejo hoje na minha prática profissional muito do que eu aprendi aqui, a gente continua trocando coisas juntos e isso é importantíssimo.

Pedro Nitsche descendo a entrada sem muros da casa onde cresceu. Casa Marcello Nitsche, São Paulo, SP, 1979.

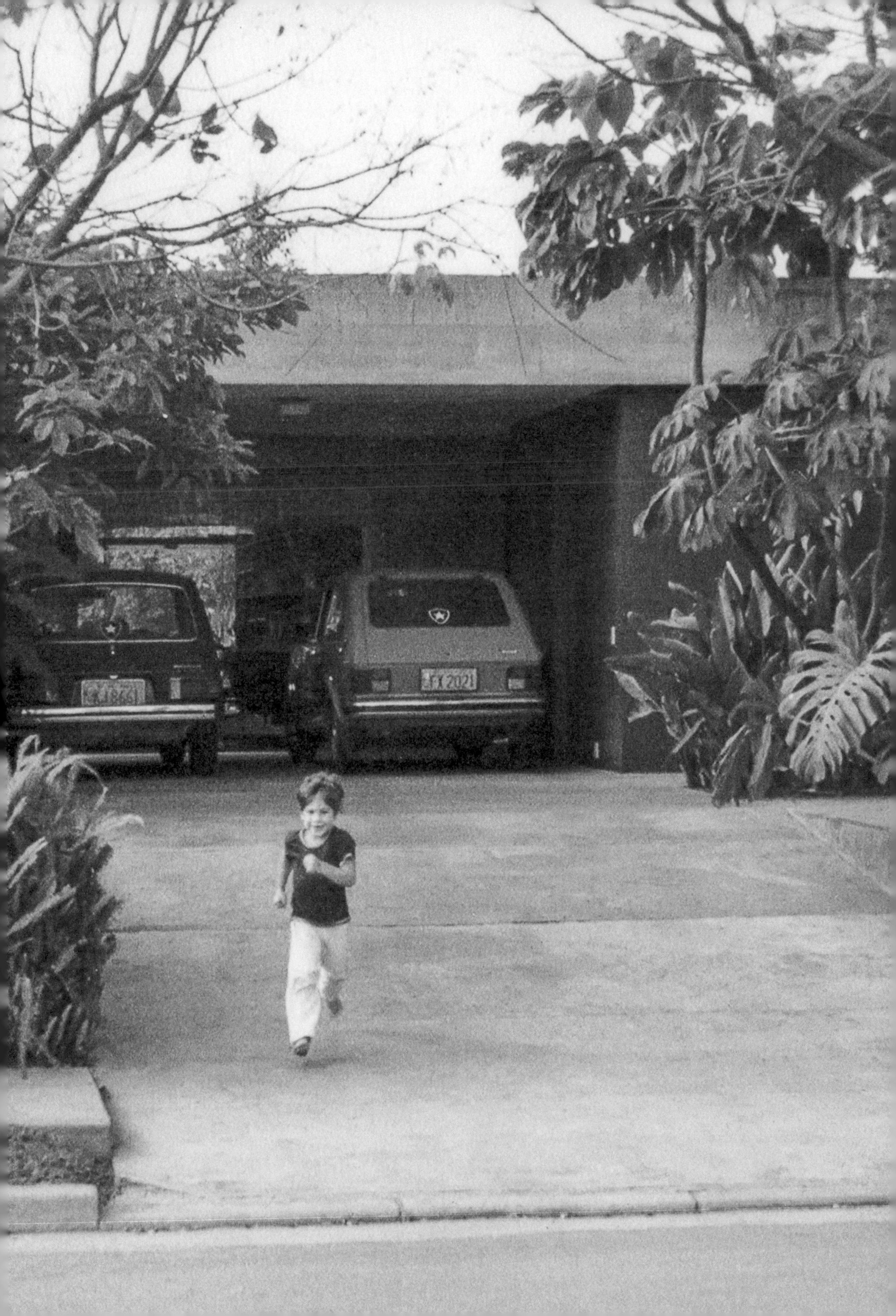
FX 2021

FICHAS TÉCNICAS

Casa em Iporanga (p. 20)
Local Guarujá, SP
Ano de projeto 2005
Área do terreno 1.220 m²
Área construída: 554 m²
Autores Lua Nitsche e
Pedro Nitsche
Colaboradores Renata Cupini,
Suzana Barboza e Mariana Simas
Paisagismo Paysage
jardins internos e externos
Luminotécnico Cia de Iluminação
Estrutura madeira Ita Construtora
Fundações L.Camargo
Engenharia de Projetos
Estrutura de concreto
L.Camargo Engenharia de Projetos
Instalações hidráulica / elétrica
Grau Engenharia
Construção Tecsa Construtora

Casa em S. Francisco Xavier (p. 30)
Local São Francisco Xavier, SP
Ano de projeto 2009
Área do terreno 404 m²
Área construída 24.000 m²
Autores Lua Nitsche, Pedro
Nitsche, João Nitsche
Colaboradores Tiago Kuniyoshi,
Rafael Baravelli, Natassia Caldas
Estrutura concreto FH engenharia
Estrutura madeira Engenheiro
Hélio Olga
Fundações Engenheiro
Flávio Helena Junior
Construção Ita construtora,
Eng. Viviane de C. Graciano
e Dorcides da Silva
Instalações Ramoska e Castellani
Impermeabilização Sika (Eng.
Romeu Martinelli)
Consultorias Sauna - Cottage
Casa & Lazer
Caixilhos / esquadrias
Projesul Vidro e Alumínio Ltda.
Louças e metais Deca
Spa hidromassagem Spas Versati
Cortinas Toque final cortinas
Laminado vermelho Pertech
Aquecimento solar Jelly fish
Madeiras de demolição
Demolidora ABC
Trocador de calor Sêppo

Casa em Piracaia (p. 40)
Local Piracaia, SP
Ano de projeto 2012
Área de terreno 32.000 m²
Área construída 1.025 m²
Autores Lua Nitsche e
Pedro Nitsche
Coordenadores
André Scarpa, Rosário Pinho

Colaboradores Ari Miaciro Correia,
Rodrigo Tamburus, Tiago Kuniyoshi
Paisagismo Gaia Projetos
Luminotécnico Lux Projetado
Instalações Pessoa e Zamaro
Ar-condicionado Assistec
Estrutura Inner Engenharia e
Gerenciamento
Construtora Fairbanks e Pilnik
Fabricantes Deca, Alba Barbosa,
Arteal, B'Block Adegas Inteligentes,
Carlos, Concresteel, Construflama,
Janos Biezok, Ladrilar, Lazer Saunas,
Marcenaria, Micasa, Móveis Russo,
Panisol, PauPau, Pedras Capricórnio,
Pillon, Plasmont, Porcelanato
Portobello, Reka Iluminação, +6

Casa na Praia Vermelha (p. 50)
Local Ubatuba, SP
Ano de projeto 2014
Área de terreno 1.225m²
Área construída 387m²
Autores Lua Nitsche, Pedro Nitsche
Coordenadores André Scarpa,
Tiago M. Kuniyoshi
Colaboradores Rosário Pinho,
Rodrigo Tamburus
Interiores Nitsche Arquitetos,
Ana Cláudia Sá
Paisagismo Dora Celidonio
Luminotécnico Ricardo Heder,
Lux Projetos
Estrutura de concreto
Eng. Pedro Telecki, Telecki
Arquitetura de Projetos
Estrutura de madeira
Eng. Hélio Olga, Ita Construtora
Construção Marcos Penteado,
Tecnomar Engenharia SS
Instalações hidráulicas / elétricas
Eng. José Augusto Guimaro, G&A
Guimaro & Associados Engenharia
Fabricantes Dinaflex, Jmar
Esquadrias Metálicas, Panisol,
Pedras Bellas Artes, Polysistem,
Portobello, Uniflex, Useplac, Vidrotil

Edifício João Moura (p. 58)
Local São Paulo, SP
Ano de projeto 2008
Área de terreno 1.411 m²
Área construída 6.554#m²
Autores Lua Nitsche,
Pedro Nitsche, João Nitsche
Colaboradores Rafael Baravelli,
Tiago Matsuhide Kuniyoshi, Suzana
Nóbrega Barboza, Rodrigo de
Francisco Ferreira e Oliveira, Fulvio
Ramos Roxo, Natassia Caldas,
Marysol Rivas Brito
Paisagismo Renata Tilli
Projetos e Paisagismo

Luminotécnico Lux Projetos
Estrutura de concreto
Gama Z Engenharia
Estrutura metálica
Gama Z Engenharia
Estrutura Gama Z Engenharia
Incorporação Idea!Zarvos
Construção SC&C Construtora - SP
Consultoria em conforto
Ambiental e sustentabilidade
ULab. Laboratório Urbano
Ar-condicionado Eternamente AR
Consultoria e projetos térmicos
Ltda. Fundação Infraestrutura
Esquadrias Arqmate
Fachadas Pertech
Hidráulica e elétrica Soeng

Destilaria em Torrinha (p. 68)
Local Torrinha, SP
Ano de projeto 2018
Área de terreno 120.000 m²
Área construída 1.661 m²
Autores Lua Nitsche, Pedro Nitsche,
João Nitsche, André Scarpa, Suzana
Nóbrega Barboza, Maria Cristina
Savaia Martini, Carolina Bueno
Colaboradores Rosario Pinho,
Rodrigo Tamburus, Fernanda
Veríssimo, Gil Barbieri e
Vanessa Izidorio
Topógrafo Luiz Antonio Vieira
Construção Aum Construções
Consultoria destilaria
Dr. Leandro Marelli de Souza
Equipamento destilaria
Fábrica de Alambiques
Santa Efigênia Ltda.
Consultoria ambiental Ca2
Estrutura metálica Miguel Maratá
Estrutura concreto
Eng. Eduardo Duprat
Instalações elétrica / hidráulica
Pessoa e Zamaro
Luminotécnico
Conforto Visual (Felipe)
Estrutura metálica
Engemetal Estrutura Metálica
Pintura Tintas Renner- Percoa
Design da marca Amarello
Consultores da marca Inexplorato
Marketing Filipe Cubero
Fabricantes Hunter Douglas,
Alvorada Cópias, Arcelor Mittal,
Clodoaldo Tintas, Império das Tintas

Bairro Novo (p. 82)
Concurso menção honrosa
Local São Paulo, SP
Ano de projeto 2004
Área de terreno 107 hectares
Autores Lua Nitsche, Pedro
Nitsche, João Nitsche

Colaboradores Renata Cupini e Marianna Martignago
Consultoria urbanismo Luiz Martins, Vinícius Andrade, Artur e Aluízio Leite
Consultoria de custos Quantum Consultoria

Projetos Visuais (p. 88)

Escala Urbana
Local São Paulo, SP
Ano do projeto 2016
Área da pintura 28×0.4 m
Técnica impressão sobre tecido
Autor João Nitsche
Colaboradores Pedro Nitsche, Flavia Schikmann, Pamela Gomes e Maria Emanuel Silva
Execução Top Lux

Eclipse
Local São Paulo, SP
Ano do projeto 2019
Área da pintura 720 m² (24 × 30 m)
Técnica brocha, cabo de aço, parafuso e tinta
Autor João Nitsche
Colaboradores Pedro Nitsche, Lua Nitsche, Flavia Schikmann, Cláudia Carpes, Mara Cruz, Julia Machado, Manuella Leboreiro, Marcelo Anaf, Gil Barbieri, Thiago Pontes
Execução Grupo F-Theo
Realização Magik JC

Empena Viva
Local Parque Minhocão, São Paulo, SP
Ano do Projeto 2015
Área da pintura 300 m² (10 × 30 m)
Técnica pintura
Autor João Nitsche, Pedro Nitsche
Colaboradores Flavia Schikmann, Pamela Gomes, Maria Emanuel Silva
Execução WCA Pinturas

Fluxos
X Bienal de Arquitetura de São Paulo
Local Centro Cultural São Paulo, SP
Ano do projeto 2013
Técnica adesivo vinílico
Autores João Nitsche, Pedro Nitsche e Lua Nitsche
Colaboradores André Scarpa, Rosario Borges de Pinho, Kasia Patyra e Gabriela Mamede

Grito da Rua
Local São Paulo, SP
Ano do projeto 2018
Técnica adesivo vinílico
Autor João Nitsche, Pedro Nitsche
Colaboradores Cláudia Carpes, Mara Cruz, Flavia Schikmann, Pamela Gomes, Bruna Brito, Marcelo Anaf

Picos do Jaraguá
Local Sesc Pinheiros, São Paulo, SP
Ano do projeto 2018
Técnica trena metálica fixada sobre muro de alvenaria
Autor João Nitsche
Colaboradores Pedro Nitsche, André Scarpa, Flavia Schikmann, Cláudia Carpes, Mara Cruz, Pamela Gomes, Bruna Brito, Marcelo Anaf

Colaboradores Nitsche 2001-2023

Associados Lua Nitsche (2001-atual) João Nitsche (2009-atual), Pedro Nitsche (2001-atual), André Scarpa (2012-2018)

Colaboradores Anna Laura Prado, André Ciampi, André Scarpa, Ari Felipe Miaciro, Arthur Falleiros, Bárbara Moura, Brígida Garrido, Bruno Stephan, Caio Henrique Mamede, Carolina Hosino, Clara Werneck, Cláudia Luz, Debora Almeida Bruno, Denis Ferri, Eric Palmeira, Fabiana Cerutti, Fábio Costa, Fernando Motta, Filipe Barrocas, Flávia Schikmann, Fúlvio Ramos Roxo, Gabriel Lisboa, Gabriela Mamede, Gabriela Ramadan, Gil Barbieri, Guido Collino Neto, Guilherme Bravin, Hayako Oba, Julia Machado, Júlia Zielke, Juliano Veloso, Kasia Patyra, Laurinha, Luciana Mattar, Luciana Silva, Luiza Bastos Vieira Lima, Luiza Costa, Luiza Montenegro Minassian, Manuela Leboreiro, Mara Cruz, Marcelo Anaf, Marcinho, Maria Emanuel Silva, Mariana Simas, Mariana Vilela, Murilo Rôlo Barcellos, Natalia Mamblona, Nicolas Roux, Olimary Oliveira, Pamela Gomes, Priscila Fernandes, Rafael Baravelli, Raquel Takamoto, Renata Bacheschi Mori, Renata Cupini, Ricardo Nucci, Rodrigo Oliveira, Rodrigo Tamburus, Rosário Pinho, Sergio Eduardo Campos, Thaís de Araújo, Thiago Conti, Thiago Kuniyoshi, Thiago Pontes, Tomas Vannucchi, Vanessa Izidorio, Victor de Almeida Presser

Organização
André Scarpa

Texto crítico
Daniel Mangabeira

Depoimento
Catherine Otondo

Entrevista
André Scarpa

Projeto gráfico e diagramação
Núcleo de Design Escola da Cidade

Fotos
Capa: André Scarpa (Destilaria em Torrinha, Torrinha, SP, 2021)
Pedro Nitsche: p. 2
Marc Goodwin: p. 4
André Scarpa: pp. 8-9, p. 69, p. 71, p. 76, p. 77
Nelson Kon: p. 21, p. 24, p. 25, pp. 28-9, p. 31, p. 34, p. 35, pp. 38-9, p. 41, p. 45, p. 46, p. 47, pp. 48-9, p. 59, p. 62, p. 63, p. 65, pp. 66-7
Cacá Bratke: p. 51, p. 54, pp. 56-7
Pedro Mascaro: p. 70, pp. 80-1, p. 90 (1)
João Nitsche: p. 83, p. 89, p. 90 (2), p. 91, pp. 92-3
Marcello Nitsche: p. 107

Desenhos
Nitsche Arquitetos

Revisão
Otacílio Nunes
Elba Elisa Oliveira

Dados Internacionais de Catalogação
na Publicação — CIP

Coleção arquitetos da cidade: Nitsche.../
Organizado por André Scarpa. —
São Paulo: ECidade, Edições Sesc SP, 2023.
112 p.: il. (Arquitetos da Cidade; v. 5).

ISBN ECidade 978-65-86368-33-8
ISBN Edições Sesc SP 978-85-9493-282-2

1. Arquitetura Contemporânea . 2. Nitsche.
3. Arquitetura Brasileira. I Título. II. Série

CDD

Catalogação elaborada por Denise Souza CRB 8/9742

Sesc

Serviço Social do Comércio
Administração Regional
no Estado de São Paulo

Presidente do Conselho Regional
Abram Szajman

Diretor Regional
Danilo Santos de Miranda

Conselho Editorial
Áurea Leszczynski Vieira Gonçalves
Rosana Paulo da Cunha
Marta Raquel Colabone
Jackson Andrade de Matos

Edições Sesc São Paulo
Gerente Iã Paulo Ribeiro
Gerente Adjunto Francis Manzoni
Editorial Cristianne Lameirinha
Assistente: Antonio Carlos Vilela
Produção Gráfica Fabio Pinotti
Assistente: Ricardo Kawazu

Edições Sesc São Paulo
Rua Serra da Bocaina, 570 — 11º andar
03174-000 — São Paulo SP Brasil
Tel.: 55 11 2607-9400
edicoes@sescsp.org.br
sescsp.org.br/edicoes
/edicoessescsp

escola da cidade

Associação Escola da Cidade
Alvaro Puntoni (Presidente)
Fernando Viégas (Presidente)
Marta Moreira (Presidente)
Cristiane Muniz (Diretora Conselho Escola)
Maira Rios (Diretora Conselho Escola)
Anália Amorim (Diretora Conselho Científico)
Marianna Boghosian Al Assal (Diretora Conselho Científico)
Guilherme Paoliello (Diretor Conselho Técnico)
Anderson Freitas (Diretor Conselho Ecossocioambiental)
Ciro Pirondi (Diretor Conselho Escola de Humanidades)
Denise Jardim (Diretora Conselho Escola de Humanidades)

Coordenação de Imagem e Comunicação
Alexandre Benoit

Editora Escola da Cidade
Luísa Telles
Thais Albuquerque
Bianca Marchiori

Núcleo de Design
Celso Longo
Daniel Trench
Gabriel Dutra
Lara Tchernobilsky
Valentina Yusta

**Colaboraram na produção
gráfica e editorial deste livro:**
Débora Filippini
Guilherme Pace
Laura Pappalardo

Associação Escola da Cidade
Faculdade de Arquitetura e Urbanismo
Rua General Jardim, 65 — Vila Buarque
01223-011 — São Paulo SP Brasil
Tel.: 55 11 3258-8108
editoradacidade@escoladacidade.edu.br
escoladacidade.edu.br/pesquisa/editora

Composto com Neue Haas Grotesk e Interlink
Impressão do miolo em papel Alta Alvura 120g/m²
Impressão da capa em cartão Supremo 250g/m²
Impresso pela gráfica Ipsis
1000 exemplares